CE2

RICHARD
ASSUIED

ANNE-MARIE
RAGOT

Coccinelle

Livre de Français

- LANGAGE ORAL

- LECTURE

- ÉTUDE DE LA LANGUE

- RÉDACTION

Cet ouvrage est rédigé avec
l'orthographe recommandée par
le ministère de l'Éducation nationale.

Hatier

SOMMAIRE

* Les lectures du livre sont disponibles en version audio dans le Manuel Numérique Enrichi.

© Hatier, Paris, 2016

ISBN : 978-2-218-97297-3

L'enfant et le dauphin (1)

Brigitte Heller-Arfouillère, Madeleine Brunelet,
L'enfant et le dauphin, © Flammarion, 2003.

On raconte qu'il y a près de deux mille ans de cela,
sur les rives de la Méditerranée, vivait un petit garçon très pauvre
qui s'appelait Alexandre.

Sa mère était morte alors qu'il n'était qu'un bébé.
Il habitait seul avec son père, dans un petit village de pêcheurs.

L'école était très éloignée de son village. Tous les jours, il partait
de bonne heure pour faire la longue route à pied.

ardent : un soleil ardent est un soleil très chaud, brulant.

Comme Alexandre, tous les enfants du village se rendaient chaque jour à cette école. Mais ils n'aimaient pas Alexandre et lorsqu'ils le voyaient, ils couraient après lui en se moquant :

– Va-t-en, tu nous fais honte avec tes habits déchirés !

Le petit garçon s'enfuyait en courant et se retrouvait toujours tout seul. Alors, il chantait pour oublier sa solitude et sa fatigue, sous le soleil <u>ardent</u> qui brillait une grande partie de l'année.

À l'école, il n'avait pas d'amis et les journées lui paraissaient bien longues.

Le soir, il rentrait après les autres, et jouait sur le sable, solitaire. Son père ne lui posait jamais de question. Il savait bien que les autres enfants l'évitaient parce qu'ils étaient pauvres et cela le rendait triste.

1. Présente Alexandre. Dis tout ce que tu sais de lui avec le texte et l'illustration.

2. De quoi les enfants du village ont-ils honte ? Pourquoi ? Les comprends-tu ?

1 La phrase

- **Une phrase est** une suite de mots qui a un sens.
- **Quand je parle,** je fais des phrases. Celui qui m'écoute me comprend.
- **Quand j'écris,** je commence toujours ma phrase par une majuscule. Je la termine par un point.
- **Quand je lis à haute voix,** je marque une pause à la fin de la phrase.

Je reconnais la phrase

– Est-ce que je comprends ?
– Est-ce que je peux le dire ?

1. Ces suites des mots sont-elles des phrases ? Je recopie les phrases en mettant une majuscule et un point.

1. l'avion se pose sur
2. l'ascenseur descend
3. la voiture se range le long du trottoir
4. près du bateau le arrive port
5. arrivera à midi
6. tous les jours Alexandre va à l'école
7. de son village est loin l'école
8. son père jamais de questions
9. paraissent bien longues
10. il chante pour oublier sa fatigue

2. Combien y a-t-il de phrases dans ces textes ?

1. L'histoire de l'amitié entre un enfant et un dauphin est très ancienne. Pline l'Ancien l'a racontée il y a déjà deux mille ans. Ce savant a beaucoup étudié la vie des animaux.

2. Alexandre habitait dans un petit village de pêcheurs. Il vivait seul avec son père. Sa maman était morte quand il était tout petit. À l'école aussi il était seul. Il n'avait pas d'amis. Les autres enfants se moquaient de lui parce qu'il était pauvre. Le soir, il jouait tout seul sur le sable.

Je lis. Je cherche où m'arrêter.
– Est-ce que je comprends ?
– Est-ce que je peux le dire ?

3. Dans chaque encadré, il y a deux phrases. Je les découpe et je les écris.

les élèves sont en classe la cour est vide

le maitre interroge Pierre la question est difficile

Pierre réfléchit sa voisine lève le doigt

l'exercice est terminé nous rangeons nos cahiers

*4. Je lis les suites de mots et je me demande : peut-on faire une phrase ou deux phrases ? Je recopie. Je n'oublie pas les majuscules et les points.

1. Sophie a gagné la partie est terminée
2. Sophie a gagné la partie on arrête de jouer
3. Sophie a gagné une bague à la fête de l'école

1. j'ai fini la crème au chocolat je n'ai plus faim
2. j'ai fini la crème au chocolat de mon petit frère
3. j'ai fini la crème au chocolat était excellente

1. vous allez ranger vos bureaux avant de sortir
2. vous allez ranger vos bureaux sont en désordre
3. vous allez ranger vos bureaux le désordre nous fait perdre du temps

Je construis des phrases

5. Je mets les mots en ordre pour écrire des phrases.

1. allons descendre en nous récréation
2. cour de est fermé la le portail
3. absente depuis est semaine Sonia une
4. affaires cartables dans rangez vos vos

6. Je mets les mots en ordre pour écrire des phrases.

1. un la la ouvrier porte classe est venu réparer de
2. des graines radis avons semé nous de
3. notre plusieurs bibliothèque contes livres avons nous de dans
4. le la la des maitre salle clé ordinateurs retrouve ne pas de

7. Peut-on faire une phrase avec ces mots ? Quand je pense que c'est possible, j'écris la phrase.

1. de dégonflé le pneu ton vélo
2. chez coiffeur demain je le vais
3. étagères nous rangeons sur
4. de est jaune le Noé pull sale
5. aller avec champignons dans des forêt je la mes parents ramasser vais

8. Dans chaque phrase, il y a un intrus. Je chasse l'intrus et je recopie les phrases.

1. Pour jouer aux petits chevaux avec il faut deux dés.
2. La mine de mon crayon escalier est cassée.
3. Le jardinier cultive des choux, des salades et aussi mais des radis.
4. Cette demain il fera beau sur toute la région.
5. Avec ma sœur cousine nous aimons jouer aux cartes.

9. Des enfants de ton âge ont écrit ces phrases. Corrige-les et recopie-les.

1. Hier, nous avons découvert matin le quartier de notre école.
2. La maitresse a pris des. Nous allons les mettre en ordre pour raconter notre sortie.
3. Nous allons un texte pour chaque photo.
4. nous exposerons les photos dans le préau de l'école

J'écris

J'écris trois phrases pour cette photo. Avant de commencer, je parle avec mes camarades.

Pour aller plus loin

Du fond du cœur

J'habite en moi,
Au fond de moi
Dans ma petite grotte
En forme de cœur.
J'habite en moi,
Ma tête comme toit
Et comme fenêtre
Mes yeux rieurs.
Et quand il pleut
C'est que je pleure.

Anne Schwarz-Henrich,
Du coq à l'âne, Callicéphale Éditions, 2005.

Combien y a-t-il de phrases dans ce poème ? Je recopie la dernière phrase.

1

Comme le chemin de l'école était long !
Un soir d'avril, alors qu'il marchait au bord de l'eau, Alexandre entendit
de petits cris <u>stridents</u>. C'était un dauphin. Pour lui, fils de pêcheur,
cela n'avait rien d'extraordinaire. Mais le garçon était content
de parler à quelqu'un :
– Tu veux du pain ? demanda-t-il au magnifique animal.
Alors profites-en ! Il ne m'en reste presque jamais le soir.

Mais le dauphin était sans doute trop craintif. Il continua sa course
sans se diriger vers l'enfant.

« Tant pis, pensa Alexandre en haussant les épaules.
Il n'a sûrement pas faim. »

Et <u>sans plus tarder</u>, il poursuivit sa route.

- **strident** : un son strident est un son très aigu et perçant.
- **sans plus tarder** : sans prendre de retard, tout de suite.
- **obscurcir** : rendre obscur, sombre ; assombrir.
- **s'engouffrer** : rentrer à toute vitesse dans un lieu.
- **prendre garde** : faire attention.
- **scruter** : regarder très attentivement, à la recherche de quelque chose.

Le lendemain soir, alors que le garçon quittait l'école,
de gros nuages noirs <u>obscurcissaient</u> le ciel. Le vent hurlait,
soulevant rageusement le sable. Une violente tempête se préparait.

Tête baissée, le garçon courut le long du rivage. Des milliers de petits
grains dorés <u>s'engouffraient</u> dans sa chemise et le piquaient.
Mais il n'y <u>prenait garde</u> : il était inquiet pour son père.

« Pourvu que papa ait eu le temps de rentrer au port, se disait-il.
Son bateau n'est pas de taille à affronter les vagues en furie. »
Soudain, un sifflement strident interrompit sa course. Le cœur battant,
Alexandre s'immobilisa, <u>scrutant</u> la plage.

« Qui peut bien m'appeler ? s'étonna le garçon. Il n'y a personne ici
à part moi ! »

---

1. Pourquoi Alexandre est-il content de rencontrer le dauphin ?

2. Que penses-tu du cadeau qu'il lui propose ?

3. Le narrateur pense que le dauphin s'en va parce qu'il est trop craintif.
   Que pense Alexandre ? Et toi, que penses-tu ?

4. Relève tous les mots qui montrent que la tempête sera très forte.

1 Le verbe

- **Le verbe** est le seul mot de la phrase qui change quand on parle du passé, du présent ou du futur.
  - *Je marche, je marcherai, j'ai marché*, c'est toujours le même verbe : le verbe **marcher**.
  - *Je marche, je marcherai, j'ai marché* sont des formes conjuguées du verbe **marcher**.
  - **Marcher** est l'infinitif du verbe.

- **La conjugaison** du verbe, c'est le changement du verbe :
  - avec le temps
  - avec les pronoms de conjugaison.

singulier		pluriel	
1re personne	je	1re personne	nous
2e personne	tu	2e personne	vous
3e personne	il, elle	3e personne	ils, elles

- **Les pronoms de conjugaison sont** des sujets du verbe.

Je reconnais le verbe

Pour trouver le verbe, je dis la phrase au passé ou au futur. Le mot qui change, c'est le verbe.

1. Pour chaque phrase, j'indique si elle parle du passé, du présent ou du futur. Puis j'entoure le verbe.
  1. Cette année, nous inviterons un écrivain dans notre classe.
  2. Les ordinateurs sont en panne.
  3. Vous utiliserez votre calculatrice pour résoudre ce problème.
  4. Deux élèves distribuent les cahiers.
  5. Nous avons regardé un film.

2. Je recopie les phrases. J'entoure le verbe.
  1. Un policier règle la circulation devant l'école.
  2. Les parents attendent leurs enfants.
  3. Les élèves sortent.
  4. Cinq enfants traversent la rue sur le passage piéton.
  5. Lola rentre à la maison en vélo.

*3. Je recopie les phrases qui parlent du passé. J'entoure le verbe.

Autrefois, on démarrait le moteur de sa voiture en tournant une manivelle. Dans quelques années, on démarrera sa voiture en lui parlant ! Sur les routes, les premières autos circulaient à côté des voitures à chevaux. Aujourd'hui, en ville, beaucoup de gens préfèrent le vélo.

4. Dans les trois phrases, le même verbe est conjugué. Je le souligne puis j'écris son infinitif.
  1. À la bibliothèque, les petits regardent des livres d'images.
  2. Les voyageurs regardaient le paysage par la fenêtre du train.
  3. Nous regarderons les photos de la promenade demain matin.

  C'est le verbe ....

*5. J'écris l'infinitif des verbes.

  j'ai écouté – vous attendrez – elle efface
  tu finissais – nous lirons – ils écrivent

J'utilise les pronoms sujets

 Quand je parle, je sais utiliser les pronoms de conjugaison.

6. Je choisis la forme du verbe qui convient et je recopie la phrase.

1. Je *(lève/levons)* le doigt quand je veux parler.
2. Nous *(descendons/descendent)* calmement les escaliers.
3. Tu *(peuvent/peux)* aider ton voisin.
4. Vous *(devez/doit)* écouter les autres.
5. Le soir, nous *(laissons/laisse)* la classe propre.
6. Tu *(ont/as)* le droit de te tromper. Nous ne nous *(moquerons/moquerez)* pas de toi.

7. *nous* ou *vous* ?
Je complète avec le pronom sujet qui convient.

1. ... habitons loin de l'école.
2. Est-ce que ... venez à l'école à pied ? Ou est-ce que ... prenez le bus ?
3. Avant la récréation, ... ouvrons les fenêtres.
4. Demain, ... irons à la bibliothèque. ... n'oublierez pas de rapporter vos livres.

*8. *je* ou *tu* ?
Je complète avec le pronom sujet qui convient.

— Qu'est-ce que ... fais ?
— ... mets un pull et ... vais jouer dehors.
— Est-ce que ... peux venir avec toi ?
— Si ... veux.
— ... prends le ballon. ... as envie de jouer au ballon ?
— Oui et ... emporte aussi mes rollers.

Je choisis la forme du verbe

9. Je choisis la forme du verbe et je complète la phrase.

1. *organisent – ont organisé – organiseront*
   Mercredi dernier, au centre de loisirs, les animateurs ... un pique-nique dans le parc.
2. *s'entraine – s'entrainait – s'entrainera*
   En ce moment, Léa ... beaucoup au ping-pong.
3. *coupent – coupaient – ont coupé couperont*
   Demain matin, les ouvriers ... l'eau pour réparer les robinets.
4. *oublie – oubliait – a oublié – oubliera*
   Hier soir, Étienne ... ses lunettes à l'école.
5. *vivent – vivaient – vivront*
   Les premiers hommes ... dans des grottes.

Et maintenant, attention !
Il y a plusieurs solutions.

6. *va – est allé – allait – ira*
   Cet après-midi, Louis ... jouer dehors.
7. *chuchote – chuchotait – a chuchoté chuchotera*
   Tout à l'heure, pendant le travail de groupe, on ... pour ne pas déranger les autres.

J'écris

Un enfant a commencé à rêver sa vie.

Hier, j'étais un léopard.
Aujourd'hui, je suis un papillon.
Demain, je serai peut-être dompteur.

Je fais le même travail avec :

j'étais – je suis – je serai
j'aimais – j'aime – j'aimerai
je détestais – je déteste – je détesterai

1

À nouveau, le même son retentit. Alexandre se tourna vers la mer.
Devant lui, un dauphin riait.

– Ah, c'est toi que j'ai aperçu hier ! s'exclama le garçon fou de joie.
Quel bonheur de te revoir !

Tout en parlant, Alexandre fouillait ses poches.

– Oh, oh ! dit-il, j'espère que tu ne vas pas t'en aller parce que je n'ai rien
à te proposer ce soir. Au fait, comment t'appelles-tu ? Bien sûr ! Tu ne peux
pas me répondre. Eh bien, pour moi, tu seras Simo !

Le dauphin fixait Alexandre de ses petits yeux espiègles, comme s'il
le comprenait. Puis il se mit à nager de long en large face à lui.

Le garçon tremblait d'émotion.

– Comme tu es beau ! murmura-t-il.

Mais l'orage grondait. De grosses gouttes commencèrent à tomber.
Avec regret, le garçon fit un signe au dauphin :

– Au revoir Simo ! Je dois rentrer. Reviens demain à la même heure.
Je t'attendrai !

Et, malgré le fracas du tonnerre, l'enfant entendit l'animal siffler.

- **espiègle** : vif et taquin, sans méchanceté.
- **le fracas** : un bruit très fort et très violent.
- **sain et sauf** : qui a échappé à un grand danger.
- **cingler** : frapper fort et de façon continue.

Chez lui, Alexandre retrouva son père fatigué, mais sain et sauf.

– Je suis arrivé juste à temps ! confia le pêcheur à son fils.

Dehors, la pluie cinglait les volets et un vent furieux s'engouffrait sous la porte. Bien à l'abri dans leur petite maison blanche, le garçon raconta sa rencontre avec Simo.

– C'est étonnant, lui expliqua son père. Il est très rare qu'un dauphin s'éloigne de sa famille pour vivre seul.

– Simo est peut-être orphelin ? dit alors Alexandre. Dans ce cas, je pourrais le consoler. Moi non plus je n'ai pas de maman...

– Et tout comme toi, il est certainement très courageux, répondit tendrement son père. Allez maintenant, va vite te coucher !

1. Comment le dauphin a-t-il fait comprendre au garçon qu'il aimerait devenir son ami ?

2. Pourquoi Alexandre tremble-t-il d'émotion ?

3. À quel danger le père d'Alexandre a-t-il échappé ?

4. Tu es Alexandre. Tu racontes à ton père ta rencontre avec Simo.

1 L'ordre alphabétique (1)

- **Les lettres de l'alphabet sont rangées en ordre.**
  L'ordre alphabétique, c'est l'ordre des lettres de l'alphabet.

A	B	C	D	E	F	G	H	I	J	K	L	M	N	O	P	Q	R	S	T	U	V	W	X	Y
a	b	c	d	e	f	g	h	i	j	k	l	m	n	o	p	q	r	s	t	u	v	w	x	y
a	b	c	d	e	f	g	h	i	j	k	l	m	n	o	p	q	r	s	t	u	v	w	x	y

- **Dans le dictionnaire, les mots sont rangés dans l'ordre alphabétique.**
  Pour bien utiliser le dictionnaire, il faut connaitre l'ordre alphabétique par cœur.

Je connais l'ordre alphabétique

1. Je complète la suite de lettres.
Je suis l'ordre alphabétique.

| a | | | |

| n | | | |

| g | | | |

| t | | | |

| | f | | |

| | | m | n | |

| | | j | |

| | s | | |

2. J'écris la lettre qui vient juste après.

c ... – g ... – u ... – i ...
k ... – e ... – v ... – o ...
j ... – y ... – v ... – f ... – m ...

3. J'écris la lettre qui vient juste avant.

... c – ... f – ... r – ... d
... j – ... n – ... e – ... s
... h – ... w – ... q – ... g

4. J'écris les lettres qui encadrent.

| | d | |

| | r | |

| | w | |

| | f | g | |

| | o | p | |

| | h | i | |

| | q | r | |

5. Dans chaque liste, une lettre n'est pas à sa place. Je recopie la liste dans l'ordre alphabétique.

> 1. efgih 2. nmopqr 3. qrtusv

> 1. aegpl 2. dikrp 3. mqtsux
> 4. diropx 5. grmoz

6. Je recopie les lettres dans l'ordre alphabétique.

1. scrat   2. oups   3. pschit
4. beurk   5. grumpf

7. Voici la première ligne du clavier de l'ordinateur.
Je recopie les lettres dans l'ordre alphabétique.

| A | Z | E | R | T | Y | U | I | O | P |

8. Vrai ou faux ?

1. C vient juste avant D.
2. O vient juste après M.
3. V vient après S.
4. F vient après G.
5. T vient avant V.

Je me prépare à utiliser le dictionnaire

9. Où est le mot ? Au début du dictionnaire ? au milieu ? à la fin ?

assemblée	DÉBUT	MILIEU	FIN
provenance	DÉBUT	MILIEU	FIN
souriceau	DÉBUT	MILIEU	FIN
créature	DÉBUT	MILIEU	FIN
monter	DÉBUT	MILIEU	FIN
tranquillement	DÉBUT	MILIEU	FIN

10. Je regarde la première lettre des mots. Je range les mots dans l'ordre alphabétique.

1. porte – fenêtre
2. mur – toit
3. volet – cheminée
4. cave – grenier

1. freiner – démarrer – accélérer
2. peine – chagrin – tristesse
3. gai – aimable – souriant
4. débuter – attaquer – commencer

11. Je range les nombres dans l'ordre alphabétique.

un – deux – trois – quatre – cinq – six

12. Une seule de ces listes est dans l'ordre alphabétique. Je la recopie.

1. assiette – fourchette – couteau – verre
2. eau – fruit – poisson – salade – yaourt
3. table – nappe – chaise – plateau – serviette

*13. J'écris le mot en couleur à sa place dans l'ordre alphabétique.

souris	baleine – poisson
immeuble	cabane – maison
chaise	fauteuil – tabouret
ordinateur	clavier – imprimante
placard	armoire – bibliothèque

Pour aller plus loin

Couples

Dans mon zoo abécédaire,
les animaux vont par paire :

l'anaconda et le béluga,
le castor et le doryphore,
l'éléphant et le faon,
la gazelle et l'hirondelle,
l'isard et le jaguar,
le koala et le lama,
la mygale et le narval,
l'okapi et la pie,
le quetzal et le rorqual,
le serpent et le taon,
l'unau et le vermisseau,
le wapiti et la xanthie,
l'yaproridé et la zoé.

« Couples », *Abécédaires*,
Arnaud Somveille, D.R.

J'explique comment le poète a composé son zoo abécédaire.

Le code secret

Que cultive-t-on dans le jardin secret derrière ce mur ?

Indices : b = c ; l = m.

1 La ponctuation

Les signes de ponctuation

À la fin de la phrase

. **le point**

? **le point d'interrogation**
pour poser une question.

! **le point d'exclamation**
pour montrer qu'on est surpris, excité,
pour appeler...

... **les points de suspension**
pour montrer qu'on n'a pas tout dit,
qu'on hésite, qu'on réfléchit.

 Après un point, une nouvelle
phrase commence.
Je pense à la majuscule.

Dans la phrase

, **la virgule**
– pour marquer une petite pause
– pour séparer des groupes de mots.

Après une virgule, la phrase
continue, sans majuscule.

: **les deux-points**
– pour annoncer un dialogue
– pour annoncer une énumération.

---

1. Pour chaque phrase, j'écris le nom du point.

À nouveau, le même son retentit.
Alexandre se tourna vers la mer.
Devant lui, un dauphin riait.
– Ah, c'est toi que j'ai aperçu hier ! […]
Quel bonheur de te revoir !
Tout en parlant, Alexandre fouillait
ses poches.
– Oh, oh ! dit-il, j'espère que tu ne vas
pas t'en aller parce que je n'ai rien
à te proposer ce soir. Au fait, comment
t'appelles-tu ? Bien sûr ! Tu ne peux pas
me répondre. Eh bien, pour moi,
tu seras Simo !

Brigitte Heller-Arfouillère, Madeleine Brunelet,
L'enfant et le dauphin, © Flammarion, 2003.

**2. Je recopie la phrase de l'exercice 1
qui pose une question.**

3. J'écris les points à la fin des phrases.

À quoi ressemble la Terre vue depuis
l'espace On dirait une grosse bille bleue
Les grandes villes sont de tout petits points,
pas plus gros que des fourmis Pourquoi
la Terre a-t-elle cette couleur bleue

La Terre vue de l'espace est bleue parce
qu'elle est presque tout entière recouverte
par les océans et les mers Les astronautes
qui voyagent dans l'espace ont bien
de la chance

**4. Je recopie les phrases.
Je place les virgules.**

1. Le toucan a un bec long épais et coloré.

2. Pour aller au musée vous prenez
la première rue à gauche vous passez
devant la mairie vous tournez à droite
et vous traversez le pont.

***5. Dans ce texte, il manque toute
la ponctuation et les majuscules.
Je le corrige et je le recopie.**

jeudi matin la maitresse nous a demandé
« connaissez-vous bien le quartier de l'école
nous allons le découvrir ensemble cet
après-midi » nous avons tous crié
« hourrah » avant de partir nous avons
rappelé les règles de prudence marcher sur
le trottoir ne pas courir ne pas se pousser
rester ensemble pour traverser les rues.

c, *k* ou *qu* ?

Le son /k/ s'écrit

c

devant les voyelles *a*, *o*, et *u*
calme – comique – curieux
devant les consonnes *c*, *l* et *r*
un accident – un clown – un crayon

parfois **k**

un kilo – un kangourou
un képi – un koala

qu

devant les voyelles *a*, *e*, *i*, *o*
la musique – une équipe
quatre – pourquoi

parfois **q**

un coq – cinq

1. Je classe les mots dans le tableau.
Attention, certains mots vont dans deux colonnes !

Le son /k/ s'écrit		
c	qu	k
...	...	...

une étiquette – les muscles – un koala
un fakir – un microscope – un coquelicot
un moustique – un éclair – quatorze
un kangourou – un kiwi – un craquement

2. Je complète ces mots-outils.
Je les apprends.
Le son /k/ s'écrit toujours de la même façon.
pour...oi – ...and – lors...e – ...el – ...oi
...el...es – pres...e – jus...'à

Dans une famille de mots,
le son /k/ s'écrit toujours
de la même façon.

3. Je complète avec *c* ou *qu*.

1. décorer – le dé...or – une dé...oration
tranquille – la tran...illité – tran...illement
classer – un ...lasseur – le ...lassement
coque – une ...o...ille – un ...o...illage

2. circuler – la cir...ulation
inscrire – un ins...rit – une ins...ription
cycle – un cy...liste – la bicy...lette
équipe – un é...ipage – un é...ipier

3. conte – ra...onter – une ...onteuse
clair – un é...clair – é...lairer – une é...laircie
maquiller – le ma...illage – la ma...illeuse

Dans la famille d'un verbe
qui se termine par ***quer***,
le son /**k**/ s'écrit :
– ***qu*** quand il est suivi
de la voyelle ***e***
– ***c*** quand il est suivi
de la voyelle ***a***.

4. Je complète les familles de mots.

1. attaquer ↪ une atta...e
remarquer ↪ une remar...e
craquer ↪ un cra...ement

2. expliquer ↪ une expli...ation
communiquer ↪ la communi...ation
indiquer ↪ une indi...ation

3. fabriquer ↪ un fabri...ant
une fabri...e
la fabri...ation

5. Je complète avec les écritures du son /k/.
Je peux m'aider du texte de lecture.

Cha...e matin, Alexandre fait plusieurs
...ilomètres à pied pour aller à l'é...ole.
Le petit garçon n'a pas de ...opains.
Les autres enfants se mo...ent de lui parce
...e ses vêtements sont déchirés.
Un soir, au bord de la mer, Alexandre entend
les petits ...ris d'un magnifi...e dauphin.
Il veut lui donner du pain, mais le dauphin
semble ...raintif et il ...ontinue sa ...ourse
sans regarder l'enfant.

1 J'apprends à chercher des idées

1 J'organise les mots de la mer. _____

a. Je retrouve les mots de la mer dans le texte de lecture.
Je complète.

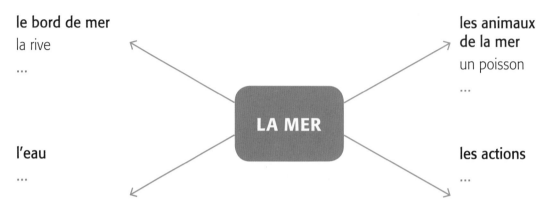

le bord de mer
la rive
...

les animaux
de la mer
un poisson
...

LA MER

l'eau
...

les actions
...

b. J'ajoute d'autres mots que je connais.

2 J'apprends à écrire un acrostiche. _____

– Quel est le mot écrit verticalement en majuscules ?
– Comment a-t-on choisi les mots écrits
après chaque majuscule ?

Odeur
Ciel
Eau
Aventure
Navigation

3 J'écris deux acrostiches avec les mots de la mer.

Simo

orage

S
I
M
O

O
R
A
G
E

Raconter

Ursule et son ourson

• Cette bande dessinée raconte l'histoire d'Ursule. Raconte-la avec tes mots. _____

• Tu es Ursule. Tu racontes ton aventure à tes parents. _____

L'enfant et le dauphin (4)

Le lendemain, Alexandre partit pour l'école les poches garnies de pain. La journée lui sembla interminable. Le soir, comme s'il le faisait exprès, le maitre retint les enfants plus tard que d'habitude. Alexandre se tortillait d'impatience sur son banc.

« Si je suis en retard, Simo ne m'attendra pas, se disait-il inquiet. Il croira que je l'ai oublié. »

Enfin le garçon <u>jaillit</u> hors de la classe et courut en direction de la plage.

Soudain, il vit le dauphin bondir joyeusement hors de l'eau et siffler pour le saluer.

Alexandre se mit à la fois à rire et à pleurer.

– J'ai eu si peur ! dit-il à l'animal. Je pensais que je ne te reverrais jamais !

Mais le dauphin était bien là. Maintenant, il nageait avec calme et ne quittait pas l'enfant des yeux.

Alors, le garçon s'assit sur le sable. Le regard de son ami l'apaisait. L'obscurité s'installa. Alexandre et Simo se dirent au revoir en sachant que bientôt ils se retrouveraient.

- **jaillir** : sortir très rapidement.

- **un saut périlleux** consiste à faire un tour complet sur soi dans le vide.

- **éparpiller** : jeter dans tous les sens.

Le lendemain, le jour se levait à peine que déjà Alexandre courait sur la plage. Ce n'était pas l'heure de leur rendez-vous, mais pourtant il appela Simo.

Comme s'il l'attendait, le dauphin le rejoignit en sifflant, puis effectua un saut périlleux.

Ravi, le garçon sautilla et tapa dans ses mains.

– Oh, Simo, je n'espérais pas te voir si tôt. Tu ne vis pas loin alors ? Tu sais, aujourd'hui, il n'y a pas d'école !

Tout en parlant, Alexandre éparpillait ses vêtements sur le sable.

– J'ai décidé de me baigner, Simo. Attends-moi !

1. Pourquoi Alexandre part-il à l'école les poches pleines de pain ?

2. À ton avis, pourquoi Alexandre se met-il à la fois à rire et à pleurer ?

3. Compare les deux phrases : *Tous les jours il partait de bonne heure pour faire la longue route à pied* (page 4) et *Le lendemain, le jour se levait à peine que déjà Alexandre courait sur la plage.*
Alexandre s'est-il levé à la même heure que les jours d'école ? Pourquoi ?

4. Comment comprend-on qu'Alexandre et Simo sont vraiment devenus amis ?

2 Le nom et son déterminant : singulier et pluriel, masculin et féminin

- **Les mots qui font comprendre** que c'est le **singulier** ou le **pluriel** s'appellent des déterminants.
  Le, la, un, une, les, des, plusieurs, deux, ton, ta, ce, cette, ces... sont des déterminants.
- **Le déterminant commande** le singulier **ou** le pluriel du nom :
  un dauphin – des dauphins.
- **Le déterminant et le nom forment** le groupe nominal.
- **Le nom est** masculin **quand on dit** un..., le...
  féminin **quand on dit** une..., la...

Je reconnais les éléments du groupe nominal

1. Je classe les déterminants dans le tableau.

singulier	pluriel
...	...

un – deux – plusieurs – mon – tes – cinq
la – ce – quelques – le – mes – une – votre

2. Sous chaque groupe de mots, j'écris D pour déterminant et N pour nom.

les vagues – l'eau – le dauphin – un saut
ses vêtements – les mains – le sable

3. Je classe les groupes nominaux dans le tableau.

singulier	pluriel
...	...

1. les tables – des bancs – une bibliothèque
ta place – notre classe – mes affaires
un chiffon – des copains – les volets

2. mon bureau – une affiche – nos cahiers
quelques craies – plusieurs chaises
trois rangées – ce matin – ces exercices
ma trousse – la récréation

4. Je classe les groupes nominaux dans le tableau.

masculin	féminin
...	...

1. une table – la bibliothèque
un banc – une classe – mon cahier
ta chaise – ce matin – notre rangée
ton exercice – le chiffon

2. une goutte – le tonnerre – le vent
sa rencontre – sa famille – ma poche
un vêtement – le regard
un rendez-vous – la plage

5. Je continue mon tableau.

Comment faire quand
le déterminant est *l'* ?
Je le remplace par *un* ou par *une*.

l'océan – l'orage – l'eau – l'animal
l'étoile – l'aventure – l'abri – l'enfant

6. Je continue mon tableau.

Comment faire quand les noms
sont au pluriel ?
Je les mets au singulier et je décide.

cinq coccinelles – plusieurs lapins
les chats – trois chenilles – six souris
quelques papillons – des sauterelles
ces chiens – mille abeilles – cent moutons

7. Pour chaque groupe nominal, j'écris s'il est :
– masculin (M) ou féminin (F)
– au singulier (S) ou au pluriel (P).

une fourchette ... – trois assiettes ...

des verres ... – ton couteau ...

nos serviettes ... – le plat ...

ma cuillère ... – plusieurs desserts ...

8. Je recopie les noms au singulier avec leur déterminant.

1. Un taxi stationne dans la rue. Il attend des clients.

2. Dans le train, les passagers regardent le paysage qui défile.

3. Les cargos traversent l'océan lentement pour apporter des marchandises dans les pays lointains.

4. Dans un autobus il y a un chauffeur, mais dans un avion il y a deux pilotes.

9. Je recopie les noms au pluriel avec leur déterminant.

1. Les souris sortent de leur trou, car les chats de la maison sont absents.

2. Deux chiens poursuivent un chat. Mais il peut grimper dans les arbres et se réfugier sur les branches !

3. On a construit des immeubles dans la rue. Leurs fenêtres sont très grandes.

4. Les balayeurs font un travail très utile. Grâce à eux nos rues sont propres.

10. Je classe les groupes nominaux soulignés.

masculin pluriel	féminin pluriel
...	...

Dis-moi, que vois-tu dans les nuages ?
Mes oncles voient des voitures.
Mes grands-mères voient des poissons.
Ma cousine voit des arrosoirs,
    aïe, aïe, aïe il va pleuvoir !
Mes voisines voient des oies.
Ma sœur voit des rois !
Moi, je vois des visages de soie.

*11. Je classe les groupes nominaux soulignés.

masculin singulier	féminin singulier
...	...

masculin pluriel	féminin pluriel
...	...

Mon nom est Silver. Je suis un poney, champion de sauts d'obstacles.
J'ai remporté trois médailles avec mon club, et j'ai deux cavalières attitrées...
Camille pénètre à l'instant dans mon box. Ses longs cheveux noirs sont attachés pour nos entrainements. Je devine ses intentions dans son regard azuré. Elle vient me brosser. Ma robe grise est couverte de poussière... Laura surgit. Ses cheveux blonds frisés sortent sous sa bombe comme de l'herbe folle.

Pascale Brissy, *Mes deux cavalières au concours de saut*, © Hatier, 2013.

Pour aller plus loin

 vieux pélican

 vieux pélican tout blanc
S'assied sur  banc
Il regarde  grande plage
Et  enfants qui nagent
 pélican se souvient
Il y avait  arbre
 forêt,  marigot
Il y avait  tortues
 requins dans  eau
 pélican se souvient
Il y avait  vieux pélican
Assis sur  banc
Qui regardait  mer...

Christian Havard, « Le vieux pélican », *Comptines des terres d'Afrique*, © L'Hydre Éditions, 2005, D.R.

Les vagues ont effacé les déterminants. Je les remets à leur place.

l' – le – le – le – le – la – la – les

un – un – un – un – un – une – des – des

2

Dans l'eau encore fraiche, Alexandre nagea jusqu'au dauphin.
Les deux amis s'ébrouèrent un long moment, puis, avec délicatesse,
Simo montra à l'enfant comment le chevaucher. Sans se lasser,
il reprit plusieurs fois la même posture. Alexandre comprenait le désir
de son ami, mais la crainte le retenait. Il avait peur de blesser le bel animal,
d'être maladroit, trop lourd... Lui qui était pourtant si menu, si frêle !

- **s'ébrouer :** faire des mouvements rapides dans tous les sens.
- **une posture :** une position.
- **frêle :** mince et fragile.
- **le zénith :** le point du ciel où le soleil est à midi.
- **fendre les flots :** traverser la mer à toute vitesse.

Le soleil était au zénith lorsque, enfin, Alexandre découvrit avec délice le plaisir d'enserrer le corps souple et doux de Simo. Il se laissa bercer, comme un enfant contre sa mère. Jamais il n'avait été si heureux.

Puis le dauphin l'emporta et tous deux fendirent les flots.

1. Pourquoi l'eau est-elle encore fraiche ?

2. Alexandre est-il resté longtemps dans la mer ? Explique ta réponse.

3. Simo et Alexandre montrent de la délicatesse l'un pour l'autre. Comment le comprends-tu ?

4. Comment comprends-tu : *Jamais il n'avait été si heureux* ?

2 Le présent du verbe *être* et du verbe *avoir*

être	
je suis	nous sommes
tu es	vous êtes
il est	ils sont
elle est	elles sont

avoir	
j'ai	nous avons
tu as	vous avez
il a	ils ont
elle a	elles ont

Je reconnais la conjugaison du verbe *être* et du verbe *avoir*

1. J'écris un pronom sujet qui convient.

  1. ... avons – ... est – ... ai

  2. ... êtes – ... ont – ... sommes

2. Je recopie les phrases qui contiennent le verbe *être*.

  1. Je sais bien faire du vélo.

  2. Tu es une véritable amie.

  3. Aujourd'hui, Suzon est absente.

  4. Les tortues sont des reptiles.

  5. Tu fêtes ton anniversaire demain.

  1. Nous sommes prêts pour le départ.

  2. Mes amis essaient leur nouveau jeu.

  3. Quand on fait des additions, on calcule des sommes.

  4. Bravo, vous êtes les meilleurs !

  5. Je suis bon au hand-ball !

3. Je recopie les phrases qui contiennent le verbe *avoir*.

  1. J'ai un nouveau vélo.

  2. Tu as de la chance !

  3. Nous savons fabriquer des cerfs-volants.

  4. Les coureurs vont très vite !

  5. Vous avez de bons yeux.

  1. Hugo a mal aux dents.

  2. Les films d'horreur font peur.

  3. Est-ce que tu vas bien ?

  4. Nous avons huit ans.

  5. Les enfants ont besoin de beaucoup de sommeil.

4. Je relève les verbes conjugués. J'écris leur infinitif.

  1. Ils ont un chat, vous avez un chien.

  2. J'ai un oiseau, il est vert et rouge. Et son bec ? Il a une belle couleur orange.

  3. Nous sommes des amis des animaux.

  4. Avec votre fusil, vous êtes chasseur. Avec mon appareil photo, je suis chasseur d'images.

  5. Mon frère et moi, nous avons une grande collection d'images d'animaux.

J'utilise le verbe *être* et le verbe *avoir*

5. Je conjugue le verbe *avoir* et je complète les phrases.

  1. Ce matin, après la tempête, l'arbre ... des branches cassées.

  2. Vous ... un beau jardin avec deux orangers. Et vos oranges, humm ! Elles ... une très belle couleur !

  3. J'... quinze livres et toi, tu ... vingt livres. À nous deux, nous ... une vraie bibliothèque !

*6. Je conjugue le verbe *être* et je complète les phrases.

Bonjour, je ... Jacques Dufer, commandant de l'avion. Vous ... à bord d'un Airbus A 320. Nous ... le jeudi 2 avril. La météo ... bonne. Des vents ... annoncés mais ils ... faibles. Nous ... prêts pour le décollage, merci de vérifier que vos ceintures ... bien attachées. À notre point d'arrivée, le ciel ... dégagé. La température ... de 24 degrés.

7. Je conjugue le verbe *être* ou le verbe *avoir* et je complète les phrases.

1. J' *(avoir)* ... raison. Tu *(avoir)* ... tort. Nos amis *(être)* ... d'accord avec moi.
2. Il *(être)* ... tard. Vous *(être)* ... en retard.
3. Elle *(avoir)* ... envie de dormir.
4. Nous *(avoir)* ... soif. Vous *(avoir)* ... faim.
5. Nous *(être)* ... inquiets : tu *(être)* ... très fatigué en ce moment.

8. Je conjugue le verbe *être* ou le verbe *avoir* et je complète les phrases.

1. L'automne *(être)* ... là. Le sol *(être)* ... couvert de feuilles. Elles *(avoir)* ... une belle couleur rousse.
2. Je *(être)* ... à l'abri de la pluie, j' *(avoir)* ... un imperméable.
3. Nous *(avoir)* ... un thermomètre sur la fenêtre, mais il *(être)* ... cassé !
4. Si tu *(être)* ... frileux, mets un pull. Si tu *(avoir)* ... trop chaud, enlève ta veste.
5. Les enfants ! La pluie arrive ! Vous *(être)* ... prévenus. Vous *(avoir)* ... juste le temps de rentrer.

9. Je complète les phrases avec un pronom de conjugaison qui convient.

1. ... ai deux copines. ... ont mon âge. ... avons les mêmes gouts.
2. ... avez deux belles poupées ! ... ont des yeux différents. Toi, ... as la poupée aux yeux noirs. Et l'autre poupée ? ... est à ta sœur ?
3. Un gros bateau arrive au port. ... a une grande cheminée rouge et noire.
4. ... es prête ? ... sommes en retard !
5. ... êtes à côté de la poutre. ... avez la responsabilité de votre camarade. Si ... avez besoin de moi, ... suis là.

***10.** Je complète les phrases avec le verbe *être* ou le verbe *avoir*.

1. À la maison, nous ... un ancien livre de contes de fées. Il ... plus de cent ans.
2. Les lutins ... des personnages des bois. Ils ... toujours un chapeau pointu.
3. Si vous ... un vieux coffre dans votre grenier, vous y trouverez peut-être un génie qui vous dira : « Maitre, je ... un bon génie. Tu ... maintenant un serviteur fidèle. »
4. J'... bien un vieux coffre, mais il ... vide !

***11.** Je récris les phrases. Je remplace :

a. **le pronom *je* par le pronom *tu*.**
Quand je suis seul dans le noir, j'ai peur.

b. **le pronom *elle* par le pronom *elles*.**
Elle a des ciseaux et des papiers de couleur, elle est en train de préparer un collage.

J'écris

Je choisis un animal. J'écris trois phrases pour le décrire, toujours avec le verbe *être* ou le verbe *avoir*. Mes camarades doivent trouver mon animal.

le lynx

l'âne

le serpent

la vache

la chenille

le lézard

Désormais, la pensée de Simo emplissait le cœur d'Alexandre. Le matin, il se levait avec plaisir et courait dans les dunes.

Près du rivage, le dauphin attendait le garçon et l'emportait jusqu'à l'école. Le soir, Alexandre et Simo se retrouvaient et parcouraient le chemin inverse de la même façon.

Bientôt les gens se pressèrent pour voir le fils du pêcheur prendre la mer sur le dos d'un dauphin. Les enfants de l'école venaient aussi, ils entouraient Alexandre et chacun se disait son ami.

Quelques-uns se mettaient à l'eau pour approcher Simo. L'animal acceptait de se laisser caresser, mais seul Alexandre avait le droit de le chevaucher.

- **désormais :** à partir de ce moment.
- **l'enthousiasme :** une immense joie.
- **un enchantement :** un grand bonheur pas ordinaire, venu comme par magie.

Souvent, au coucher du soleil, le père d'Alexandre les rejoignait sur la plage. Simo l'accueillait toujours avec <u>enthousiasme</u>. Il ne se lassait jamais de faire l'acrobate.

Assis sur le sable, le pêcheur, ému, regardait son fils et le dauphin. L'amitié exceptionnelle qui les liait le bouleversait, le rendait heureux. De son bras levé, il faisait de grands signes, et il leur souriait.

Le temps passa. Alexandre et Simo ne se quittaient plus. Grâce au dauphin, le garçon oublia tout de sa solitude. Sa vie devint un <u>enchantement</u>, un éclat de rire qui n'en finit pas.

1. Que penses-tu des camarades d'Alexandre ?

2. Pourquoi le père d'Alexandre est-il heureux lui aussi ?

3. Discute avec tes camarades : qu'est-ce qu'un ami ? Comment se fait-on des amis ?

2 Nom commun et nom propre

- Les personnes, les animaux familiers, les lieux
  ont un nom bien à eux : un nom propre.
  Alice – Rex – Paris
- Le nom propre commence toujours par une majuscule.
  Certains noms propres s'emploient avec un déterminant : la Loire.
- Tous les autres noms sont des noms communs.
  une amie – le chien – la ville
  Les noms communs s'emploient toujours avec un déterminant.

Je reconnais les noms communs et les noms propres

1. Je recopie les noms propres.

1. Mon meilleur ami s'appelle Fred.
2. Je suis née à Reims.
3. Alger, Paris, Rabat et Tunis sont quatre capitales.
4. La Garonne, la Loire, le Rhône et la Seine sont les grands fleuves français.
5. Les deux planètes les plus proches de la Terre sont Mars et Vénus.

2. Je recopie les noms propres.

La troupe du théâtre Champignoles sera heureuse d'accueillir tous les enfants (et leurs parents) de la bonne ville de Montpellier pour son spectacle

Pierrot, le pirate de l'île de Ré

samedi 15 mars place de la Canourgue

3. Je souligne les noms. Pour chaque nom, j'indique si c'est un nom commun (NC) ou un nom propre (NP).

Les parents de Tom et Clara travaillent au zoo de Paris.

Leur papa, Simon, s'occupe des éléphants. Il est parti en Afrique pour relâcher dans la savane un éléphanteau né en France.

Leur maman, Agathe, soigne les animaux. C'est une vétérinaire.

4. Dans chaque ligne, il y a un intrus. Je le recopie.

1. moulin, mimosa, Moscou, matin
2. Arlequin, Japon, cuisine, Simon
3. Mickey, bandit, ami, commissaire,
4. Pinocchio, Geppetto, Lumignon, fée
5. débris, coloris, mépris, Paris, souris

5. Dans ces phrases, le même mot est utilisé une fois comme nom commun, une fois comme nom propre. Je souligne les noms communs en bleu et les noms propres en noir.

1. Pierre observe un lézard immobile sur une pierre chaude.
2. Marguerite a cueilli un bouquet de marguerites pour sa maman.
3. Pour fêter la naissance d'Olivier, ses parents ont planté un olivier.
4. La madeleine est la spécialité de Madeleine, notre boulangère.

Je fais attention aux majuscules

6. Je recopie. Je mets les majuscules
aux noms propres.

tom, lisa, solal et alice, quatre cousins,
habitent à bourdon, un village au centre
de la france.

Ils se préparent à partir en vacances
chez alex, dans une petite île au nord
de l'écosse.

Les quatre cousins sont un peu inquiets :
dans cette île, pas de télévision, mais
des moutons et monsieur gordon,
le terrible fantôme farceur.

*7. Je lis et je réponds aux questions.

Odilon, le perroquet
du directeur du Grand
Hôtel, n'est plus dans sa
cage, la porte est ouverte,
des plumes sont par terre.
Théo, Inès et Pétronille,
les TIP, trouveront-ils
le voleur ?

Christine Palluy, Cyrielle, *Qui a enlevé Odilon ?*,
© Hatier Poche, 2013.

1. Où cette histoire se déroule-t-elle ?

2. Combien de personnages sont présentés
dans ce texte ? Nomme-les.

3. Pourquoi ces héros s'appellent-ils les TIP ?

*8. Je remplace les noms communs soulignés
par les noms propres.

L'Amazone – Blanche-Neige – l'Everest
le Nil – Paris – le Sahara

1. Cette ville est la capitale de la France.

2. Ces fleuves sont les deux plus grands
fleuves du monde.

3. Cette montagne s'appelle aussi le toit
du monde.

4. Ce désert est le plus grand désert chaud
du monde.

5. Ce personnage se retrouve dans la maison
des sept nains.

Pour aller plus loin

La réunion de famille

Ma tante Agathe
Vient des Carpates
À quatre pattes
...
Mon frère Tchou
Vient de Moscou
Sur les genoux
...
Ma nièce Ada
Vient de Java
À petits pas
...
Oncle Firmin
Vient de Pékin
Sur les deux mains

Mais tante Henriette
Vient à la fête
En bicyclette

« La réunion de famille »,
© Jacques Charpentreau, *La nouvelle
guirlande de Julie*, Les éditions ouvrières, 1989.

• Je relève en deux colonnes les personnages
et les lieux de ce texte.

• Je continue le poème : j'écris une strophe de
trois vers à la façon de Jacques Charpentreau.

2 Le pluriel des noms

- Le déterminant commande le singulier ou le pluriel du nom.
  Pour marquer le pluriel à la fin du nom, j'écris un s.

- Quand un nom se termine au singulier par s, x ou z,
  il ne change pas au pluriel. Il est invariable.

J'accorde les groupes nominaux

À la fin du nom, je réfléchis :
des jouet?

Je regarde en arrière, je cherche le déterminant :
des jouet?

Des commande le pluriel.
J'accorde le nom :
je mets un ***s*** à la fin de *jouets* :
des jouet(s)

1. Je réfléchis et j'accorde.

a. une louche? – des casserole?
les passoire? – mon bol?

b. la poêle? – vos couvert? – ton plat?
ces moule? – ma balance?

c. les voiture? – ce vélo?
la moto? – des piéton?

2. J'écris au pluriel.

une dune – le dauphin – le chemin
un camarade – mon vêtement – son ami
l'acrobate – un signe – un saut – sa main

3. J'écris au singulier.

les poches – les heures – les journées
des pêcheurs – tes habits – des gouttes
des questions – des cris – des grains
des sifflements – les rives

4. J'écris au pluriel.

1. le fils – son bras – le dos
2. le corps – le temps – le fracas

5. J'écris au singulier.

1. des merguez – les noix – des perdrix
2. des nez – les prix – des riz

6. J'écris un nom après le déterminant.
Je réfléchis et j'accorde.

des ... – trois ... – mon ... – le ...
ta ... – plusieurs ... – une ... – leurs ...

7. Je récris les phrases : je mets
les noms soulignés au pluriel.

1. Les vaches regardent passer le train.
2. Lola a reçu une poupée pour sa fête.
3. J'aime me promener dans le bois.
4. Je dors avec un oreiller.
5. Le jardinier de la mairie a planté un arbre
dans le jardin.

J'écris

Je fais la liste des animaux de la ferme.

Le mot caché

Un nom propre
de quatre lettres
se cache dans tous ces mots.

sommeil   maison   eskimo
mimosa   momies

Quand écrit-on *am*, *em*, *om*, *im* ?

Devant les lettres *b* et *p*,
- le son /ã/ s'écrit toujours am ou em
- le son /ɔ̃/ s'écrit toujours om, mais on écrit un **bonbon**
- le son /ɛ̃/ s'écrit toujours im.

1. Je complète avec *an* ou *am*.

1. la c...pagne – des fr...boises
2. un restaur...t – une ch...bre
3. r...per – l...cer – dem...der
4. r...ger – se bal...cer – d...ser
5. une b...de – le d...ger – le rom...

1. la j...be – un f...tôme
2. un march...d – la s...té
3. le tobbog... – le tr...poline
4. le ch...p – une bala...çoire
5. l'enf...t – le t...bour

2. Je complète avec *en* ou *em*.

1. r...placer – r...dre – ...brasser
2. s...bler – r...plir – inv...ter
3. ...voyer – att...dre – ...porter
4. la t...pête – tr...bler – le t...ps
5. le cal...drier – le print...ps

1. sept...bre – nov...bre – déc...bre
2. un s...tier – abs...t – une p...sée
3. la r...trée – ...s...ble – le v...t
4. une expéri...ce – un s...tim...t
5. un ag...t – att...tion – l'...fant

3. Je complète avec *on* ou *om*.

1. un c...pas – la l...gueur
2. une questi... – faire attenti...
3. un n...bre – un p...t – la rép...se
4. t...ber – se tr...per – c...poser
5. un c...pagn... – le c...bat – prof...d

1. le ball... – la c...versati...
2. ann...cer – acc...pagner – c...pter
3. le m...de – la circulati...
4. s...bre – c...plet – c...tent
5. une tr...pette – un c...c...bre

4. Je complète avec *in* ou *im*.

1. ...téressant – s...ple – ...quiet
2. m...ce – ...portant
3. un vois... – la f... – un pr...ce
4. ...venter – ...diquer – gr...per

5. Je complète les familles de mots.

Dans une famille de mots, la partie commune s'écrit toujours de la même façon.

1. une lampe
   un l...pion – un l...padaire
2. imprimer
   un ...primeur – une ...pression
   l'...primerie – une ...primante
3. camper
   le c...p – un c...peur – un c...pement
   déc...per – le c...ping
4. l'ombre
   l'...brage – l'...brelle – la pén...bre

6. Je complète les mots-outils.

...suite – ...core – ...s...ble
souv...t – c...bien – l...gt...ps

7. Je complète les phrases.

1. Le ch...panzé gr...pe sur les grilles du jard... zoologique.
2. Dans un rom... de Jules Verne, Philéas Fogg fait le tour du m...de en ball...
   Le voyage dure quatre-v...gts jours.
3. L'ag...t de la circulati... fait att...ti... aux ...f...ts qui traversent la rue.

2 J'apprends à écrire une liste

1 Échange avec tes camarades : _____
pourquoi a-t-on besoin d'écrire des listes ?

2 Voici trois listes de courses. Comment sont-elles présentées ? _____
D'après toi, laquelle est la plus facile à utiliser ? Justifie ta réponse.

> des pommes, un litre de lait, un paquet de lessive, une salade,
> six œufs, des oranges, un fromage, de l'eau, un stylo à bille rouge,
> des carottes, une gomme

1. des pommes
2. un litre de lait
3. un paquet de lessive
4. une salade
5. un stylo à bille rouge
6. six œufs
7. des oranges
8. un fromage
9. de l'eau
10. des carottes
11. une gomme

des pommes
une salade
des oranges
des carottes
six œufs
un litre de lait
un fromage
un stylo à bille rouge
une gomme
de l'eau
un paquet de lessive

3 Compare les deux listes d'ingrédients avec la liste des étapes de la recette. _____

   a. Quelle liste d'ingrédients est la plus facile à utiliser ? Pourquoi ?

   b. Peut-on changer l'ordre dans la liste des étapes de la recette ?

Rose des sables au chocolat

– 125 g de chocolat
– 125 g de beurre
– 100 g de sucre glace
– 250 g de pétales de maïs soufflé

250 g de pétales de maïs soufflé
125 g de beurre
125 g de chocolat
100 g de sucre glace

1. Casser le chocolat en petits morceaux.
2. Faire fondre le chocolat et le beurre.
3. Verser dans un grand saladier
   et bien mélanger.
4. Ajouter le sucre glace.
5. Verser les pétales de maïs dans
   le saladier. Bien mélanger.
6. Disposer en petits tas sur une feuille de papier alimentaire.
7. Placer au frigo une demi-heure.

Quand une liste est bien organisée,
c'est plus facile de l'utiliser et de ne rien oublier !

Raconter

- Tu es journaliste.
  Tu as fait un reportage photo sur l'amitié entre un enfant et un dauphin.
  Tu présentes les deux personnages et les photos de ton reportage à la télévision.

[]

Animaux trompe-l'œil (1)

Beaucoup d'animaux sont des **prédateurs**.

Pour se nourrir, ils chassent d'autres animaux : leurs **proies**.

Mais le plus souvent, ils sont eux-mêmes des proies :

d'autres animaux les chassent pour se nourrir.

Comment échapper à un prédateur ?

Comment chasser sa proie ?

Se tenir immobile, aux aguets, prêt à l'attaque. S'approcher sans se faire
remarquer. Mais il y a encore d'autres solutions.

Échapper à la vue
Se fondre dans l'environnement

Le crocodile a le dos recouvert d'écailles brunes ou grises, épaisses et solides.
Elles le protègent comme une armure. Elles le dissimulent aussi.
Où donc est-il ?
Immobile à la surface de l'eau, presque rien de son corps ne dépasse.
Ne dirait-on pas un vieux tronc d'arbre qui flotte ? À l'affut, les yeux mi-clos,
les narines grandes ouvertes, il guette patiemment ses proies, qu'il voit
venir de loin.

Dans la savane, le tigre avance au milieu
des hautes herbes sèches.
Sa robe se confond avec leur couleur.
Ses rayures ressemblent aux longues
ombres que les herbes projettent sur le sol.
Silencieux comme un chat, il s'approche
lentement de sa proie.
Au bord de la rivière, le buffle se retourne.
Il hume l'air. Il s'agite. Il sent le danger.
Mais dans les hautes herbes, tout semble
tranquille…

Être transparent, quoi de mieux
pour ne pas se faire remarquer ?
Posé sur cette fleur, le papillon Greta
butine calmement. Il est presque invisible.
Tu vois la fleur à travers ses ailes ?
Ce n'est pas étonnant si on l'appelle aussi
le papillon aux ailes de verre !
Bien peu d'oiseaux l'apercevront.

Moi, le lagopède alpin,
je suis toujours dans la couleur du temps.
Je change de plumage trois fois par an.
Bien malin qui me surprend !

| printemps et été | automne | hiver |

Le camouflage

Le crocodile, le tigre, le papillon Greta, le lagopède se camouflent.
Grâce à la couleur de leur corps, à son aspect,
ils peuvent se rendre presque invisibles dans la nature.
De cette façon, les uns passent inaperçus pour s'approcher de leurs proies ;
les autres se dissimulent aux yeux de leurs prédateurs.

3 # L'accord du verbe avec son sujet

Je me rappelle

- Je dis si le groupe nominal est au singulier ou au pluriel.

  une rayure – des mâchoires – son corps
  ses narines – l'eau – les algues
  certains animaux – les yeux – sa proie

- Je dis si le verbe est au singulier ou au pluriel. J'entoure le pronom sujet.

  il approche – nous saisissons – ils ont
  elles sont – tu ressembles – j'attrape
  je cache – elle bondit – vous ouvrez

J'observe, je réfléchis, je comprends

Manon étudie le camouflage des animaux.
Les élèves étudient le camouflage des animaux.

Le crocodile flotte à la surface de l'eau.
Les crocodiles flottent à la surface de l'eau.

Le crocodile attend l'arrivée d'une proie.
Les crocodiles attendent l'arrivée d'une proie.

1 Je compare les phrases. Je recopie ce qui change.

2 J'entoure le verbe. J'explique pourquoi il change. Est-ce que j'entends toujours les changements ?

- **Le groupe nominal qui commande le verbe est** le sujet du verbe.
- **Le verbe s'accorde avec son sujet.**
  - au singulier : Le crocodile() flott(e).
  - au pluriel : Les crocodile(s) flott(ent).
- **Les noms propres aussi peuvent être des sujets du verbe.**
  Manon étudi(e) le camouflage des animaux.

  Je sais maintenant que le sujet du verbe peut être :
  un groupe nominal, un nom propre, un pronom de conjugaison.

 Je fais attention quand j'écris :
je n'entends pas toujours la différence entre le singulier et le pluriel.

Je reconnais le verbe et le sujet

 Pour trouver le sujet du verbe, je dis la phrase en ajoutant **c'est**... **qui**...
Les mots que je prononce entre **c'est** et **qui** sont le sujet du verbe.

1. Je complète.

Le crocodile flotte à la surface de l'eau.
C'est ... qui flotte à la surface de l'eau.
... est le sujet du verbe ....

2. J'encadre le verbe, je souligne son sujet.

Louise chante.

Son frère se déguise.

Leurs parents préparent les gâteaux.

La table est prête.

Les amis arrivent.

Ils apportent des cadeaux.

L'anniversaire commence.

3. J'encadre le verbe, je souligne son sujet.

Les parents attendent leurs enfants
à la porte de l'école.

Les élèves sortent.

Devant l'école, un policier règle la circulation.

Trois garçons regardent avant de traverser
la rue.

Leila rentre à la maison en bus.

**4. Je recopie les phrases quand le sujet
et le verbe sont au pluriel.**

L'hiver arrive.

Depuis deux jours, la neige tombe sans arrêt.

Les piétons glissent sur le trottoir.

Dans le jardin, les enfants fabriquent
des bonshommes de neige.

Lucie dépose des graines pour les oiseaux
sur le bord de la fenêtre.

J'accorde le verbe avec son sujet

5. Je choisis l'écriture du verbe et je recopie.

1. Les escargots *(porte/portent)* leur maison
sur leur dos.

2. Les araignées *(tisse/tissent)* leur toile.

3. Le renard *(creuse/creusent)* son terrier.

6. Je choisis l'écriture du sujet et je recopie.

1. *(Les hirondelles/L'hirondelle)* fabrique
son nid avec de la boue, de la paille et
des brins d'herbe.

2. *(Les coucous/Le coucou)* installent leurs
œufs dans le nid d'autres oiseaux.

3. *(Le grèbe/Les grèbes)* assemble des
roseaux pour faire un nid flottant sur l'eau.

4. *(La cigogne/Les cigognes)* utilisent des
branches et des herbes pour construire
un nid au sommet d'un toit ou d'un poteau.

7. Je choisis la bonne écriture.

1. *regarde* ou *regardent* ?
Les enfants ... un film.
L'astronome ... les étoiles.

2. *écoute* ou *écoutent* ?
Le public ... le concert.
Les promeneurs ... les bruits de la forêt.

3. *dure* ou *durent* ?
Les vacances ... deux semaines.
La récréation ... quinze minutes.

J'écris

**J'écris une phrase pour présenter ces actions sportives.
J'utilise les verbes suivants :**

immobiliser – marquer – plonger – sauter

Passer pour un autre !
Passer pour un autre animal

Le serpent faux-corail imite
très bien le serpent corail.
Comme ils se ressemblent !
À quoi cela lui sert-il d'être
pris pour un autre ? Il a
une très bonne raison !
Le serpent faux-corail n'est

un vrai serpent corail   un serpent faux-corail

qu'une couleuvre tachetée, un serpent sans venin, totalement inoffensif.
Le serpent corail, lui, est très venimeux !
Sa morsure est le plus souvent mortelle.

Regarde le coyote : il aurait bien croqué une couleuvre,
mais il a été prudent : et si c'était un vrai serpent corail ?

L'éristale gluant est une mouche qui ressemble à une abeille,
mais il n'a pas de dard ! Il ne pique pas du tout.
Tu comprends certainement à quoi lui sert cette ressemblance !

un éristale gluant   une abeille

L'hirondelle est une grande mangeuse d'insectes, mais elle
ne prend pas le risque de se faire piquer par une abeille.
Elle hésite...
L'éristale peut butiner tranquillement !

La championne, c'est la pieuvre-mime. Comme toutes les pieuvres, elle peut changer de couleur et transformer son apparence. Mais elle fait mieux !
Elle imite la forme et le comportement de plus de quinze autres animaux !
Posée sur le sol, ses huit tentacules bien dépliés, elle imite la crinoïde.
Ainsi elle se protège : la crinoïde, très dure, a peu de prédateurs.
Et elle se nourrit : les petits poissons et les crustacés qui trouvent refuge entre les bras de la crinoïde seront bientôt dans l'estomac de la pieuvre-mime.

la pieuvre-mime

la crinoïde
(Oui, c'est bien un animal !)

La pieuvre-mime se protège aussi en imitant des prédateurs très redoutés.
Enfoncée dans son terrier, elle ne laisse dépasser que sa tête et ses yeux.
Et la voilà transformée en la terrible crevette-mante.

la pieuvre-mime

La crevette-mante (la squille) frappe
ses proies à la vitesse d'une balle.

Ou encore elle laisse trainer seulement deux tentacules qu'elle remue.
On croirait voir le très venimeux serpent de mer à rayures !

la pieuvre-mime

Même de grands prédateurs comme
la murène redoutent le tricot rayé !

3 Le présent

Je me rappelle

- J'écris l'infinitif du verbe.

  tu cours – je marche – nous suivons – ils viennent – elle avance – vous rampez

J'observe, je réfléchis, je comprends

infinitif	je, j'	tu	il, elle	nous	vous	ils, elles
trouver	trouve	trouves	trouve	trouvons	trouvez	trouvent
...	donne	donnes	donne	donnons	donnez	donnent
...	parle	parles	parle	parlons	parlez	parlent
...	sais	sais	sait	savons	savez	savent
...	connais	connais	connait	connaissons	connaissez	connaissent
...	mets	mets	met	mettons	mettez	mettent
...	sors	sors	sort	sortons	sortez	sortent
...	écris	écris	écrit	écrivons	écrivez	écrivent
...	réussis	réussis	réussit	réussissons	réussissez	réussissent
...	finis	finis	finit	finissons	finissez	finissent

1 Sur chaque ligne, j'écris l'infinitif du verbe.

2 Pour chaque pronom de conjugaison, je compare les terminaisons des verbes.
   – Avec quels pronoms les terminaisons sont-elles toujours les mêmes ?
   – Avec quels pronoms y a-t-il des différences ?

3 Pour expliquer ces différences, j'observe les infinitifs.

Pour conjuguer au présent, **je pense à l'infinitif du verbe.**

	terminaisons du singulier			terminaisons du pluriel		
	je, j'	tu	il, elle	nous	vous	ils, elles
L'infinitif se termine par *er*	e	es	e	ons	ez	ent
Presque tous les autres infinitifs	s	s	t	ons	ez	ent

À suivre...

Je reconnais les terminaisons du verbe au présent

Je fais attention surtout au singulier.

1. **Quels verbes se conjuguent au présent ?**
   a. **comme *donner* ? Je les recopie.**
   courir – deviner – dire – dormir
   expliquer – porter – rencontrer – rire
   b. **comme *écrire* ? Je les recopie.**
   apporter – conduire – grandir – jouer
   obéir – signer – vivre – voir

2. **Je choisis l'écriture du verbe et je recopie.**
   (rester/restez) vous ... – *(lis/lit)* je ...
   (gagnes/gagne) tu ... – *(vois/voit)* il ...
   (jouent/jouons) nous ... – *(part/pars)* tu ...
   (ose/osent) elles ... – *(vive/vivent)* ils ...
   (ressemble – ressembles) je ..

3. J'écris un pronom de conjugaison
qui convient.

... sait – ... attrapez – ... imites

... bondis – ... vivent – ... entre

... sortons – ... avertit – ... cherchez

... permets – ... construisent – ... vois

Je conjugue au présent

4. Je conjugue au présent avec *je, tu, il.*

rire – deviner – voir

5. Je conjugue au présent avec *nous,
vous, elles.*

rester – choisir – demander

6. J'écris la terminaison du verbe.

1. Tu observ... les insectes.
Nous suiv... le bord de la rivière.
Je sen... une bonne odeur de fleurs.

2. Vous sort... vos cahiers.
Il recopi... l'exercice.
Elles décor... la classe.

7. Je change le pronom de conjugaison
et je recopie les phrases.

1. Nous cherchons des costumes pour
la pièce de théâtre. *Je ...*

2. Vous montez au grenier et vous ouvrez
une malle de vieux vêtements. *Tu ...*

3. Ils sortent un chapeau et une veste verte.
Ils trouvent aussi un masque. *Il ...*

***8.** Je change trois fois le sujet du verbe
et je recopie la phrase.

1. Les journaux parlent beaucoup
de la journée de la Terre.
Le journal – Nous ... – Tu ...

2. Les élèves choisissent de semer des fleurs.
La classe ... – Vous ... – Je ...

3. Dans notre classe, tous les jours, nous
trions les déchets.
Les élèves ... – Je ... – Un groupe ...

9. Je conjugue les verbes au présent
et je retrouve le texte de l'auteur.

Sébastien *(courir)*, il *(passer)* devant
Cindy, il *(donner)* un énorme coup
de pied dans le ballon. Le ballon *(voler)*
comme un oiseau, il *(atterrir)* sur le toit
du préau ... et il *(rester)* là-haut.

© Bayard Presse, *Le ballon perché*,
paru dans « Mes Premiers J'Aime Lire » n° 9
(Bayard Presse Jeunesse), Catherine De Lasa, 2000.

J'écris

Le caméléon **aussi se cache.**

**J'écris deux phrases au présent pour expliquer
comment il échappe à ses ennemis.**

Pour aller plus loin

L'écriture

J'adore l'écriture.
Je recopie dans mon cahier de brouillon
les bouts de phrases
d'un prospectus d'un journal
Ou bien d'un livre.
Comme l'oiseau rapporte
des brindilles pour son nid.

« L'écriture », extrait du recueil de poèmes
Hibou chez les nounours, Gilles Brulet
© Pluie d'étoiles éditions, 2004.

• Cherche au hasard quelques phrases
au présent dans des livres, des journaux,
des prospectus. Recopie-les.

• Choisis-en quatre et construis
un petit poème, comme un nid.

3

Passer pour un autre !
Passer pour une plante

Les phasmes imitent très bien les plantes sur lesquelles ils vivent.
Ainsi, ils échappent à leurs prédateurs : les oiseaux, les araignées, les lézards…
Les phasmes bâton se confondent avec la couleur et la forme allongée
des tiges ou des branches.
Les phasmes feuille se confondent avec la couleur et la forme des feuilles.
Immobiles, les phasmes se laissent balancer par le vent. Quand ils se
déplacent, c'est si lentement que l'on croit voir une branchette poussée
par le vent ou une feuille qui tremble.
Si on les touche, ils font le mort : ils se laissent tomber comme une feuille
ou une brindille de bois mort.

Le dragon des mers feuillu est un hippocampe
bien déguisé. Son corps est couvert
d'excroissances qui ressemblent à des algues.
Il peut aussi changer de couleur.
Ainsi, il a beaucoup de chances d'échapper
à ses prédateurs et il circule sans risque dans
les bancs d'algues à la recherche de ses proies :
crustacés et petits poissons.

Malheur aux insectes, et surtout aux papillons,
qui viennent butiner sur cette belle fleur
si attirante ! Ils seront immédiatement dévorés par
la mante orchidée. Tout son corps imite les pétales
roses et satinés de l'orchidée. Posée sur une tige,
une branche ou un tronc d'arbre, elle se balance
lentement comme une fleur sous le vent.

De faux yeux pour faire peur

Pour effrayer et désorienter leurs prédateurs,
de nombreux animaux portent de faux yeux,
des **ocelles**, sur une partie de leur corps.

Regarde le papillon-chouette.
À l'extrémité de ses ailes, les ocelles ressemblent
à des yeux de chouette : cercle doré et centre noir.

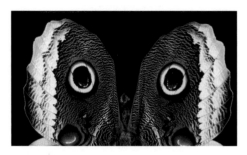

Premier avantage : les ocelles effraient. Si un prédateur approche,
le papillon déplie brusquement ses ailes. Le prédateur, surpris,
fuit quelquefois, ou s'arrête. Le papillon a du temps pour s'envoler.
Second avantage : les ocelles désorientent. Les prédateurs attaquent presque
toujours leurs proies à la tête. En visant l'ocelle, ils vont rater leur cible !

Les ocelles du petit paon de nuit
ne sont-elles pas effrayantes ?

Beaucoup de poissons portent des ocelles.
Mais deux précautions valent mieux
qu'une ! Le poisson-papillon dissimule
ses yeux sous une rayure noire et montre
un œil menaçant... près de sa queue.
Lorsqu'un prédateur s'approche pour
attaquer à la tête, le poisson-papillon
s'échappe dans l'autre sens.

Le mimétisme

Beaucoup d'animaux imitent la nature.
Une couleur, une tache sur le corps, une excroissance, la forme mais aussi
le comportement font ressembler l'animal à un autre animal ou à une plante.

3 Le dictionnaire et l'ordre alphabétique (2)

Je me rappelle

• Je range dans l'ordre alphabétique.

jupe – pantalon – chemise – manteau – blouson – écharpe – anorak

J'observe, je réfléchis, je comprends

souvent 588

A B C D E F G H I J K L M N O P Q R **S** T U V W X Y Z

souvent adverbe
Souvent, c'est plusieurs fois de suite. *Il pleut souvent depuis un mois.*
■ Tu peux dire aussi fréquemment.
■ Le contraire de souvent, c'est jamais, rarement.

spaghetti nom masculin
Les spaghettis, ce sont des pâtes longues et fines. *Arnaud aime les spaghettis à la sauce tomate.*
■ Ce mot vient de l'italien.

Arnaud mange des **spaghettis**.

sparadrap nom masculin
Le sparadrap, c'est un tissu collant que l'on utilise pour faire des pansements.
➡ On ne prononce pas le p qui est à la fin.

spatial, spatiale adjectif
Un engin spatial, c'est un engin qui voyage dans l'espace. *Les cosmonautes viennent de rentrer de leur voyage spatial, ils viennent de rentrer de leur voyage dans l'espace.*
➡ Au masculin pluriel : spatiaux.
➡ Au féminin pluriel : spatiales.

spécial, spéciale adjectif
Mamie a un produit spécial pour enlever les taches, elle a un produit

fait exprès pour cela, un produit particulier.
➡ Au masculin pluriel : spéciaux.
➡ Au féminin pluriel : spéciales.

spécialement adverbe
Spécialement, c'est plus que tout le reste. *Flora aime tous les fruits, spécialement les bananes.*
■ Tu peux dire aussi particulièrement, surtout.

spectacle nom masculin
Un spectacle, c'est ce que l'on montre au public pour le distraire, c'est un film, une pièce de théâtre, un opéra, un ballet. *Félix et Célia sont allés voir un spectacle de marionnettes.*

spectateur nom masculin,
spectatrice nom féminin
Un spectateur, une spectatrice, c'est une personne qui regarde un spectacle ou une compétition sportive. *Les spectateurs ont beaucoup applaudi les comédiens.*

sphère nom féminin
Une sphère, c'est une boule. *La Terre a la forme d'une sphère.*

spirale nom féminin
Une spirale, c'est une ligne qui s'enroule en montant ou en descendant. *Augustin dessine dans un grand cahier à spirale.*

Un carnet à **spirale**.

589 **stand**

splendide adjectif
Il fait un temps splendide, aujourd'hui, il fait un temps magnifique, il fait très beau aujourd'hui.
■ Tu peux dire aussi superbe.
■ Le contraire de splendide, c'est affreux, horrible.

sport nom masculin
Le sport, c'est un exercice que l'on fait faire à son corps, régulièrement, en suivant certaines règles, pour faire un effort ou pour jouer ou se battre contre quelqu'un. *Papi fait du sport le dimanche matin. Il y a un terrain de sport derrière l'école. La gymnastique, la natation, l'équitation, le golf, le football, la boxe sont des sports.*

Ali porte une tenue de **sport**.

① **sportif, sportive** adjectif
Un match de tennis est une compétition sportive, c'est une compétition de sport. *Papa écoute les commentaires du journaliste sportif,* il écoute ce que dit le journaliste qui s'occupe de sport.

② **sportif** nom masculin,
sportive nom féminin
Un sportif, une sportive, c'est une personne qui aime faire du sport et qui en fait régulièrement.

square nom masculin
Un square, c'est un petit jardin public, dans une ville. *Adèle et Guillaume font du toboggan dans le square.*

squelette nom masculin
Le squelette, c'est l'ensemble des os du corps.

stable adjectif
Tu peux monter sur l'échelle, elle est bien stable, elle tient bien en équilibre sur ses pieds, elle ne bouge pas.
■ Le contraire de stable, c'est bancal.

stade nom masculin
Un stade, c'est un terrain de sport. *Mon cousin va au stade pour s'entraîner à la course une fois par semaine.*

stand nom masculin
Un stand, c'est un emplacement réservé dans une kermesse ou une exposition. *À la fête de l'école, Maman tient un stand où l'on vend des gâteaux et des confitures.*
■ Ce mot vient de l'anglais.
➡ On prononce le d qui est à la fin.

Kevin s'amuse au **stand** du « chamboule-tout ».

a b c d e f g h i j k l m n o p q r **s** t u v w x y z

Le Robert Benjamin, 2015.

① Par quelle lettre commencent tous les mots de ces deux pages ?

② Je recopie les deux premiers mots : *souvent – spaghetti.*
J'entoure la lettre qui a permis de les ranger dans l'ordre alphabétique.

③ Je recopie maintenant les mots : *splendide – sport.*
J'entoure la lettre qui a permis de les ranger dans l'ordre alphabétique.

> Comment ranger les mots quand la première lettre est la même ?

> Et si la deuxième lettre est aussi la même ?

> Je regarde la deuxième lettre :
> savon – souris
> **o** vient après **a**.

> Alors, je regarde la troisième lettre :
> sable – savon
> **v** vient après **b**.
> Et ainsi de suite...

1. **J'ouvre un dictionnaire.**
   a. Je recopie les deux mots en haut des deux pages.
   b. J'entoure la lettre qui permet de les ranger dans l'ordre alphabétique.

2. **Je range dans l'ordre alphabétique.**
   1. phasme – pieuvre – papillon
   2. mime – mante – mouche
   3. tigre – tentacule – tache
   4. éristale – écaille – excroissance
   5. serpent – savane – surprise

   1. abeille – animal – algue
   2. couleur – camouflage – champion
   3. orchidée – oiseau – ocelle
   4. lagopède – loutre – limace
   5. dragon – danger – dindon

3. **Je range dans l'ordre alphabétique.**
   1. cric – crac – croc
   2. hirondelle – hippocampe – hibou
   3. coyote – couleuvre – corail
   4. prédateur – proie – prise
   5. tronc – tricot – transformation

   1. camoufler – cacher – capturer
   2. invisible – inaperçu – inoffensif
   3. papillon – passer – paon
   4. rapidité – rayure – rater
   5. tentacule – tête – terrible

4. **Je range dans l'ordre alphabétique.**
   1. transport – tramway – train
   2. pour – poulpe – poupée
   3. inspecteur – instrument – insister
   4. charme – chat – chant
   5. clou – clown – clos

5. **Je range dans l'ordre alphabétique.**
   Pour comparer les mots, je peux les écrire sur des étiquettes.
   1. héron – hamster – hérisson – hippocampe
   2. singe – souris – scorpion – serpent scarabée – sole

6. **Je range dans l'ordre alphabétique.**
   1. lilas – jasmin – coquelicot – liseron capucine – jonquille
   2. blanc – rouge – vert – bleu – violet
   3. six – sept – huit – neuf – dix onze – douze
   4. mars – avril – mai – juin – juillet – aout
   5. Claire – Marc – Chloé – Jules Mathieu – Jade

7. **Je recopie le mot qui n'est pas dans l'ordre alphabétique.**
   1. habit – haie – harpe – hamac
   2. pie – piano – pilote – pinceau
   3. âne – ananas – ancre – anorak

8. **J'écris le mot qui va entre :**
   a. **mode – momie**
      mobile – monde – moineau
   b. **écouler – effet**
      échanger – école – effacer – effort

9. **Je place dans le tableau les mots qui vont avant, entre ou après *pardon – parler*.**
   parc – parking – pareil – partir
   papier – partager

avant	entre	après
...	...	...

• Jeu •

Le magicien a cinq pigeons. Quel est le nom des deux derniers ?

KAJI   KAKI   KALI

3 Quels noms s'écrivent avec **x** au pluriel ?

LA RÈGLE QUE JE CONNAIS

> Beaucoup de noms prennent un *s* au pluriel : un chat() – des chat(s)

J'écris au pluriel.

la couleur – un bond – un trou – un détail – une algue – le tigre

J'observe, je réfléchis, je comprends

Tous ces noms sont au pluriel.
Je les écris au singulier.
Puis je les classe dans le tableau.

Au singulier, le nom se termine par			
al	...	...	...
des animaux	...	...	...

des animaux – des bateaux – des bureaux – des chevaux – des eaux – des feux
des jeux – des journaux – des noyaux – des oiseaux – des signaux
des tableaux – des tribunaux – des tuyaux

> • Les noms qui se terminent par al, au, eau, eu s'écrivent avec un x au pluriel.
>
> Je retiens quelques exceptions : bal, carnaval, chacal, régal, festival, bleu, pneu.

1. Dans les 1 500 mots les plus fréquents du français, il y a :

a. **cinq noms qui se terminent par *al* :**
un animal – le mal – le cheval – le journal
le général

b. **quatre noms qui se terminent par *eu* :**
le feu – le cheveu – le milieu – le jeu

c. **huit noms qui se terminent par *eau* :**
le cerveau – l'eau – l'oiseau
le nouveau – le bureau – le morceau
le rideau – la peau

Je les écris tous au singulier et au pluriel.

2. Je recopie les phrases. J'écris les noms entre parenthèses au pluriel.

1. Nous jouons à des *(jeu)* de société.
2. Les *(roseau)* poussent près des *(ruisseau)*.
3. Dans notre ville il y a plusieurs *(hôpital)*.
4. Le coiffeur coupe les *(cheveu)*.
5. Le pâtissier présente ses *(gâteau)* dans sa vitrine et des bonbons dans des *(bocal)*.
6. Les petits du lion sont des *(lionceau)*.
7. Les petits de la vache sont des *(veau)*.

> • Sept noms qui se terminent par ou s'écrivent avec un x au pluriel : un bijou – des bijoux.

Pour les retenir, je les écris au pluriel.

un bijou – un caillou – un chou – le genou – le hibou – un joujou – un pou

> • Quelques noms qui se terminent par ail s'écrivent aux au pluriel : le corail – les coraux.

J'écris au pluriel.

le travail – un vitrail – l'émail

Comment accorder le verbe avec son sujet ?

LA RÈGLE QUE JE CONNAIS

Le verbe s'accorde avec son sujet. Le sujet du verbe peut être :
- un pronom de conjugaison : **Tu** cherches des insectes.
- un groupe nominal : **Les poissons** se cachent.
- un nom propre : **Gilles** écrit un poème.

Pour bien accorder le verbe avec son sujet :
- **Je m'arrête à la fin du verbe** et je me demande : quel est son sujet ?
  tu cherch⟨?⟩   – les poissons se cach⟨?⟩   – Gilles écri⟨?⟩
- **Je regarde en arrière** : je cherche le mot ou les mots qui commandent le verbe.
  tu cherch⟨?⟩   – les poisson⟨s⟩ se cach⟨?⟩   – Gilles écri⟨?⟩
- **Je prends la décision :**
  tu cherch⟨es⟩ : le sujet est *tu*.
      J'écris *es* à la fin du verbe.
  les poisson⟨s⟩ se cach⟨ent⟩ : le sujet, *les poissons*, est au pluriel.
      J'écris *ent* à la fin du verbe.
  Gilles écri⟨t⟩ : le sujet, **Gilles**, est une seule personne. C'est le singulier.
      J'écris *t* à la fin du verbe.

1. Dans chaque phrase, je souligne le sujet puis j'écris l'accord du verbe au présent.

Le cirque install... son chapiteau.
Les acrobates travaill... leur numéro.
Une écuyère prépar... son cheval.
Deux clowns jou... sur le même violon !
Je découvr... les lamas ! Je voi...
ces animaux en vrai pour la première fois.

2. Dans chaque phrase, je souligne le sujet puis j'écris le verbe au présent.

Léo *(chercher)* un livre sur les pyramides.
Il *(arriver)* à la bibliothèque.
La bibliothécaire *(voir)* Léo.
Elle *(demander)* : « Tu *(chercher)* un livre précis ? » Léo *(suivre)* la bibliothécaire jusqu'au rayon des encyclopédies.
Dans un coin, des enfants *(parler)* à voix basse. Ils *(préparer)* un exposé.

3. Je recopie ces phrases : je mets le sujet au pluriel.

1. Un papillon butine.
2. L'araignée se nourrit d'insectes.
3. Un merle chante au fond du jardin.
4. Un castor bâtit une hutte sur la rivière.
5. Aujourd'hui, un nuage traverse le ciel.

Pour vérifier, je trace la chaine d'accord sur mon cahier ou dans ma tête.

*4. J'apprends à vérifier : je trace la chaine d'accord du verbe avec le sujet.

Cendrillon pleur⟨e⟩.

Ce soir, ses sœurs partent au bal du roi. Avec ses habits troués, Cendrillon reste à la maison. Mais sa marraine arrive. D'un coup de baguette magique, la fée transforme une citrouille en carrosse et Cendrillon en princesse.

3 J'utilise une documentation pour écrire un texte explicatif

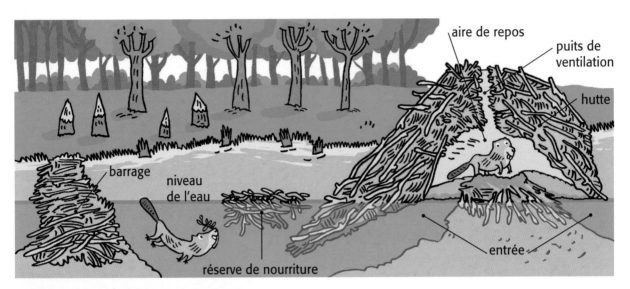

aire de repos

puits de ventilation

hutte

barrage

niveau de l'eau

réserve de nourriture

entrée

> DICTIONNAIRE
>
> • **hutte :** nom féminin.
> Une hutte est une petite maison faite avec des branches, de la terre séchée et de la paille.

❶ **J'observe les documents : où trouve-t-on ces informations ?** Sur la photo ? Dans le schéma ? Dans le texte ?

1. Le castor construit sa maison au milieu de l'eau.

2. La maison du castor s'appelle une hutte.

3. Son habitat se compose d'un barrage et d'une hutte.

4. Le barrage protège la hutte.

5. Le castor construit sa hutte avec des branches et de la terre.

6. La hutte du castor possède deux entrées.

7. La réserve de nourriture est sous l'eau.

8. La réserve de nourriture est en dehors de la hutte.

9. Dans la hutte, l'aire de repos est au-dessus du niveau de l'eau.

10. Une cheminée amène de l'air à l'intérieur de la hutte.

❷ **J'écris un texte pour présenter l'habitat des castors.**

– Où peut-on le voir ?

– Comment le reconnaitre ?

– Je décris la hutte.

– Je donne un conseil pour protéger l'habitat des castors.

❸ **Je donne un titre à mon texte.**

Expliquer

- Je cherche sur les photos les animaux qui se cachent : _____

  le gecko – le crapaud – la sole – la chouette

  Je dis où je les vois et comment ils se camouflent.

- J'explique comment **le renard polaire** se camoufle. _____

hiver   printemps   été

Les douze manteaux de maman (1)

Marie Sellier et Nathalie Novi, *Les douze manteaux de maman*, © Le Baron perché.

Son manteau de rose poudrée
a la douceur des matins clairs
lorsque, pour me réveiller,
elle dépose sur mon front
un baiser papillon
qui me chatouille un peu.

Son manteau vol-au-vent
est si léger qu'il l'entraine dans les airs
dans un tourbillon d'or.
Ah ! Le sourire de Maman
quand elle a la tête dans les nuages !
Je pose ma tête sur ses genoux
et je m'envole avec elle.

- un baiser papillon : une caresse donnée avec les cils.
- un vol-au-vent : une pâtisserie salée, très légère.
- furibard : très furieux.

Son manteau de feu est très dangereux.
Il ne faut surtout pas s'en approcher.
Il a de gros yeux <u>furibards</u>
qui lancent des éclairs de colère
et de toutes petites flammes
qui brulent et font des trous partout.

Son manteau arc-en-ciel
a une doublure couleur d'ailleurs.
Elle le porte avec des babouches,
un grand turban et ses yeux brillants
de fête.
Elle est si belle, Maman, dedans,
que parfois je me demande
si c'est bien toujours elle !

Dans ces quatre moments, que ressent l'enfant auprès de sa maman ?

4 L'adjectif qualificatif

• Je dis si le groupe nominal est masculin ou féminin.

un col – la couleur – le feu – les flammes – le matin – des éclairs
un sourire – les genoux – ma tête.

J'observe, je réfléchis, je comprends

> J'attends Monsieur Lesage. C'est un jeune homme grand et brun. Il porte des lunettes carrées. Il a une chemise bleue, un long manteau rouge, un pantalon noir, un petit foulard blanc autour du cou.

❶ Où est Monsieur Lesage ? Comment l'as-tu reconnu ?

❷ Supprime les mots qui t'ont permis de reconnaitre Monsieur Lesage.
Que remarques-tu ?

❸ Compare :

– une chemise bleue – un pull bleu – des chaussures bleues – des gants bleus
– un pantalon noir – une ceinture noire – des lunettes noires – des yeux noirs
– un manteau rouge – une veste rouge – des chaussettes rouges – des chapeaux rouges

❹ Dis maintenant ce que tu sais des mots que tu as étudiés.

L'adjectif qualificatif **apporte des précisions au nom.**

• **L'adjectif qualificatif étend le groupe nominal. Il fait partie du groupe nominal :**
une histoire drôle – une histoire triste – une histoire connue – une histoire courte

• **L'adjectif qualificatif s'accorde avec le nom qu'il précise :**
– au masculin ou au féminin : un ballon vert – une toupie verte
– et au singulier ou au pluriel : des ballons verts – des toupies vertes

• **L'adjectif qualificatif peut être placé :**
– après le nom : un chapeau rond
– entre le déterminant et le nom : un beau chapeau
– avant et après le nom : un énorme nuage noir.

À suivre...

Je reconnais les adjectifs qualificatifs

> Pour ne pas me tromper, je cherche d'abord le nom et son déterminant.

1. **Je souligne les adjectifs qualificatifs.**

une ile déserte – une grotte sombre
le sable fin – un chemin étroit
des passages secrets

2. **Je supprime les adjectifs qualificatifs. Je recopie le reste du groupe nominal.**

une immense plage – un gros rocher
une violente tempête – une énorme vague
un joli petit poisson

3. **Je souligne les adjectifs qualificatifs. J'entoure le nom qu'ils précisent.**

1. une horrible sorcière grimaçante
2. un grand chapeau pointu
3. une affreuse potion magique
4. un vieux parchemin déchiré
5. un grand corbeau noir et déplumé

*4. **Je souligne les adjectifs qualificatifs. J'entoure le nom qu'ils précisent.**

Un petit écureuil roux grimpe le long d'un tronc d'arbre. Regarde son ventre blanc, sa queue longue et touffue.

*5. **Je recopie les groupes nominaux qui contiennent un adjectif qualificatif.**

Ce petit renard vit dans les déserts chauds et sableux. Sa fourrure épaisse le protège de la chaleur du jour et du froid de la nuit. Avec ses longues oreilles et sa vue perçante, il repère les petits animaux qui passent sur son territoire. C'est le fennec.

J'utilise les adjectifs qualificatifs

> Quand je parle, je sais accorder l'adjectif qualificatif avec le nom.

6. **Je choisis la forme de l'adjectif qualificatif qui convient.**

Voici le bulletin météorologique.
Le matin, un vent *(léger/légère)* soufflera.
Puis le soleil brillera et nous aurons une *(beau/belle)* journée *(chaud/chaude)*.
En soirée, des nuages *(blancs/blanches)* se formeront et le temps deviendra *(orageux/orageuse)*.
(Bon/bonne) journée à tous.

*7. **Je complète avec un nom et son déterminant au singulier. Pour chaque adjectif, je donne deux réponses.**

1. ... ouverte   3. ... dangereuse
   ... silencieuse   ... lourd
2. ... fatigant   4. ... courageux
   ... violet   ... neuve

*8. **Les noms sont cachés. Je choisis la forme de l'adjectif qualificatif qui convient.**

1. J'aime le ⬚ *chaud/chaude*.
2. Dans ma chambre, il y a une *petit/petite* ⬚ .
3. As-tu vu ma ⬚ *vert/verte* ?

J'écris

• **Je dessine le bracelet perdu.**

J'ai perdu
mon bracelet avec une étoile dorée,
un poisson rouge, un cœur vert,
une lune jaune et un oiseau bleu.

• **J'écris un avis de recherche pour mon chat.**

4

Son manteau bête noire
ne fait que m'embêter :
Il dit « Chut…Non !…
Plus de télévision !…
Au lit, maintenant ! …
Termine ton assiette !… »
Ce n'est pas ma faute
si je n'aime pas le rôti de veau,
les épinards et les pruneaux !

Dans son super manteau de Maman,
on trouve tout, absolument tout :
la colle pour l'école,
un bonbon doux pour la gorge,
un mouchoir, des gâteaux,
les clés de la voiture et celles
du paradis.

Son grand manteau d'ombre
a un grand col de brume.
Quand elle le porte, tout s'assombrit.
Les oiseaux ne chantent plus,
le ciel devient gris.
Il n'y a rien d'autre à faire
qu'attendre que ça se passe.

Attention, son manteau de glace
est fragile comme le verre. Il peut
se casser !
Elle rit trop fort, Maman, et puis
elle pleure.
Elle crie : « J'en ai assez. »
Une porte claque. Papa me dit :
« Allez, ça va passer,
Maman, ce soir, est fatiguée. »

Imagine des petits évènements de la vie de tous les jours
qui expliquent les changements de manteaux.

4 Le présent de quelques verbes irréguliers

Je me rappelle

● Je conjugue les verbes au présent.

casser, sortir : je ...   – pousser, réussir : tu ...   – parler, dormir : il ...

regarder, savoir : nous ...   – rester, écrire : vous ...   – chercher, lire : ils ...

J'observe, je réfléchis, je comprends

– Qu'est-ce que tu fais ?
– Je prends mon sac. Et je vais à la piscine.
– Je peux venir avec toi ?
– Si tu veux.
– Alex vient aussi ?
– Non. Il fait un jeu vidéo avec Loïc.

– Qu'est-ce que vous faites ?
– Nous faisons un jeu vidéo.
– Nous allons à la piscine.
– Si vous voulez, vous pouvez venir avec nous.
– D'accord. Je viens.
– Tu viens aussi, Loïc ?
– Je fais encore une partie.
– Tu vas encore perdre !

– Qu'est-ce qu'ils font ?
– Ils vont tous ensemble à la piscine.
– Ils veulent peut-être des tickets de bus…
– Non. Alex prend ses rollers et les autres prennent leurs vélos.

1 Les verbes sont en couleur. Je cherche leur infinitif.
Je recopie les formes conjuguées dans le tableau.

aller	venir	pouvoir	vouloir	faire	prendre
...	...	...	...	...	...

2 Je me rappelle les règles de conjugaison. Qu'est-ce qui est pareil ? Qu'est-ce qui change ?

- Quelques verbes très fréquents ne se conjuguent pas comme tous les autres.
  Quand je parle, je sais les utiliser.
- J'apprends les conjugaisons par cœur.
  Je fais surtout attention aux personnes en bleu.

aller	venir	pouvoir	vouloir	faire	prendre
je vais	je viens	je peux	je veux	je fais	je prends
tu vas	tu viens	tu peux	tu veux	tu fais	tu prends
elle va	il vient	elle peut	il veut	elle fait	il prend
nous allons	nous venons	nous pouvons	nous voulons	nous faisons	nous prenons
vous allez	vous venez	vous pouvez	vous voulez	vous faites	vous prenez
elles vont	ils viennent	elles peuvent	ils veulent	elles font	ils prennent

Je reconnais les verbes irréguliers

1. Je relève les verbes conjugués.
J'écris leur infinitif.

1. Le journaliste prend des photos
   de la fête du village.
2. Tu peux me raconter une histoire ?
3. Vous allez bien ? Je vais bien, merci.
4. Sarah fait une tarte aux pommes.
   Les pommes viennent du jardin
   de ses grands-parents.
5. Vous faites attention avant de traverser la rue.

2. Je recopie la forme du verbe qui convient.

vas – va : elle ...   – *viens – vient* : tu ...
fait – faites : vous ...   – *peux – peut* : je ...
prends – prend : il ...   – *veux – veut* : tu ...
vont – allons : nous ...

3. Je complète avec un pronom
de conjugaison qui convient.

... allons – ... viens – ... veulent

... font – ... peux – ... va – ... prenons

4. Je complète avec un pronom
de conjugaison qui convient.

1. ... veux voir Victor ? ... vient de partir pour
   acheter du pain. Si ... vas vite, ... peux
   réussir à le rattraper.
2. Si ... voulez décorer la classe, ... venez
   à l'atelier de bricolage et ... faites des
   guirlandes.

Je conjugue les verbes irréguliers

5. J'écris la terminaison du verbe.

1. Est-ce que tu veu... jouer avec moi ?
2. Lucien pren... un livre sur l'étagère.
3. Vous fai... une bonne équipe !
4. Mes amis vien... jouer à la maison.
5. Tu va... fermer la porte.

6. *Beaucoup de verbes fréquents
se conjuguent au singulier comme **prendre**.
J'écris l'infinitif du verbe et je complète.*

1. J'atten... le bus.
2. Est-ce que tu compren... la question ?

3. Elle ren... les livres à la bibliothèque.
4. Je répon... au téléphone.
5. Tu per... souvent au jeu.
6. J'appren... ma poésie par cœur.
7. Il enten... le bruit du tonnerre.

7. *font* ou *vont* ?

1. Les jeunes chiens ... souvent des bêtises.
2. Beaucoup d'oiseaux ... passer l'hiver dans
   les pays chauds.
3. Les enfants ... à la plage. Ils ... des châteaux
   de sable.
4. Les touristes ... un cercle autour
   de leur guide. Ils ... prendre le bus.

*⁕**8.** Je remplace *Hugo* par *je*.
Je fais attention à tout ce qui change.

Quand Hugo va à la bibliothèque, il fait
le tour de tous les rayons, mais, pour finir,
il prend toujours une bande dessinée.
Aujourd'hui, Hugo veut essayer de lire
un roman. Il demande à la bibliothécaire
s'il peut emprunter deux livres pour
les vacances.

Pour aller plus loin

Les beaux métiers

Certains veulent être marins,
D'autres ramasseurs de bruyère,
Explorateurs de souterrains,
Perceurs de trous dans le gruyère.
...

L'un veut nourrir un petit faon,
Apprendre aux singes l'orthographe,
Un autre bercer l'éléphant...
Moi, je veux peigner la girafe !

« Les beaux métiers », *Poèmes pour peigner la girafe*,
Jacques Charpentreau, © Gautier-Languereau, 1994.

Je cherche le verbe *vouloir*.
Je le recopie avec les pronoms
de conjugaison correspondants.
Je continue le poème avec le verbe *vouloir*.

Mes amis ...

Mon voisin ...

Moi, je ...

Ce manteau-là, je ne l'aime pas !
Il est sans couleur et sans forme.
Il est vide et immense
comme son absence.
Mais que fais-tu donc, Maman,
quand tu n'es pas avec moi ?
Je ne sais même pas
quand tu vas rentrer.

Dans son manteau mille pages
se cachent les lutins et les trolls,
les sorciers et les dragons
de tous mes livres d'images.
Quand la nuit tombe,
ils bondissent sur mon lit
et font une drôle de <u>sarabande</u>.

• **faire la sarabande :** courir partout en faisant beaucoup de bruit et de désordre.

Son manteau dame tartine
sent la brioche et le chocolat,
le lait et les noisettes,
tout ce que j'aime trouver
sur la table du gouter
en rentrant de l'école.

Mais celui que je préfère,
c'est son manteau bleu,
bleu comme ses yeux très bleus,
son manteau tout pelucheux,
plus doux que ma peluche,
bien grand, bien enveloppant
pour me glisser dedans
tout contre ma Maman.

1. Cette maman n'est jamais tout à fait la même.
   Comment l'enfant nous le fait-il comprendre ?

2. Maintenant que nous la connaissons bien, nous pouvons dire
   – tout ce qu'elle ressent d'un moment à un autre,
   – tout ce que l'enfant ressent auprès d'elle.

4 Chercher un mot dans le dictionnaire
Lire un article

J'observe, je réfléchis, je comprends

briller

A
B
C
D
E
F
G
H
I
J
K
L
M
N
O
P
Q
R
S
T
U
V
W
X
Y
Z

briller verbe
*Les étoiles brillent dans le ciel,
elles renvoient de la lumière
comme si elles étaient allumées.*
■ Tu peux dire aussi **étinceler,
scintiller.**

brin nom masculin
*Un brin d'herbe, c'est une herbe
toute seule. Anthony s'est allongé
sur la pelouse, il a des brins d'herbe
accrochés à son pull.*
■ Ne confonds pas brin et brun.

brindille nom féminin
*Une brindille, c'est une petite
branche sèche.
Nous avons ramassé des brindilles
pour allumer le feu.*

brioche nom féminin
*Une brioche, c'est une sorte
de gâteau très léger souvent
en forme de boule avec
une autre boule plus petite
par-dessus.
Nous avons mangé des brioches et
des croissants au petit-déjeuner.*

brique nom féminin
*Une brique, c'est un petit bloc de
terre qui a été cuit.
Charles habite dans une maison en
briques rouges.*

briquet nom masculin
*Un briquet, c'est un petit appareil
d'où l'on fait sortir une flamme.
Mon oncle allume sa cigarette avec
un briquet.*

brise nom féminin
*La brise, c'est un petit vent
frais qui n'est pas très fort.
Ce soir il souffle une petite brise
qui vient de la mer.*

se briser verbe
*Se briser, c'est se casser en petits
morceaux très nombreux.*

Le vase s'est **brisé** en tombant par terre.

broche nom féminin
*Une broche, c'est un bijou que l'on
accroche sur un vêtement.*

brochet nom masculin
*Un brochet, c'est un poisson qui
vit dans les rivières ou dans les
lacs. Les brochets ont 700 dents très
pointues.*

Un **brochet**.

brousse

brochette nom féminin
*Alicia mange une brochette
d'agneau, elle mange des petits
morceaux de viande d'agneau
qui ont été cuits, enfilés les
uns derrière les autres, sur une
petite tige de métal.*

broderie nom féminin
*Une broderie, c'est un dessin fait
sur un tissu avec du fil et une
aiguille. La nappe est ornée de
broderies.*

bronzer verbe
*Bronzer, c'est avoir la peau qui
devient brune parce que l'on s'est
mis au soleil. Marion a bronzé
pendant les vacances.*

brosse nom féminin
*Une brosse, c'est une petite plaque
sur laquelle sont fixés des poils et
qui sert à nettoyer ou à frotter.
Jason met du dentifrice sur sa brosse
à dents.*

brosser verbe
*Brosser, c'est nettoyer ou frotter
avec une brosse. Kevin se brosse les
dents avant de se coucher.*

Léa se **brosse** les dents tous les jours.

brouette nom féminin
*Une brouette, c'est un petit
chariot avec une seule roue,
à l'avant, que l'on pousse
devant soi.
Le jardinier transporte des feuilles
mortes dans une brouette.*

brouillard nom masculin
*Le brouillard, c'est une sorte
de nuage près du sol qui
enveloppe les maisons,
les arbres, le paysage.
Quand il y a du brouillard,
on ne voit pas loin devant soi.*

se brouiller verbe
*Lisa et Jeanne se sont brouillées
hier, elles se sont fâchées,
elles ne sont plus amies.*
■ Le contraire de se brouiller,
c'est se **réconcilier.**

brouillon nom masculin
*Un brouillon, c'est un travail
écrit sur lequel on peut faire
des ratures parce qu'on le
recopiera proprement plus tard.
Justine fait sa division d'abord
au brouillon.*

broussailles nom féminin pluriel
*Les broussailles, ce sont des
herbes hautes et des ronces
qui poussent toutes seules
sur les terrains que l'on ne
cultive pas.*

brousse nom féminin
*La brousse, c'est une sorte
de forêt, où il ne pousse que
de petits arbres minces et pas
très hauts, dans les pays chauds.*

a
b
c
d
e
f
g
h
i
j
k
l
m
n
o
p
q
r
s
t
u
v
w
x
y
z

Le Robert Benjamin, 2015.

1 Quels mots sont écrits en haut des deux pages, à droite et à gauche ?
Je cherche ces mots dans les pages. Où sont-ils placés ? À quoi servent-ils ?

2 Je lis les trois articles.
– Quels sont les mots définis ?
– Quelle est la définition de chaque mot ?
– À quoi servent les phrases en italique ?

brosser verbe
Brosser, c'est nettoyer ou frotter
avec une brosse. *Kevin se brosse les
dents avant de se coucher.*

cru, crue adjectif
Un aliment cru, c'est un aliment qui
n'est pas cuit. *Mathilde aime manger
du poisson cru.*
■ Le contraire de cru, c'est **cuit.**

brouillard nom masculin
Le brouillard, c'est une sorte
de nuage près du sol qui
enveloppe les maisons,
les arbres, le paysage.
*Quand il y a du brouillard,
on ne voit pas loin devant soi.*

Le Robert Benjamin, 2015.

- Pour chercher dans le dictionnaire, j'utilise les mots-repères, en haut des pages.
- Quand j'ai trouvé le mot que je cherche, l'article du dictionnaire me donne :
  – sa nature : c'est un nom, un verbe, un adjectif...
  – sa définition : une phrase qui explique ce que le mot veut dire
  – une phrase exemple : une phrase qui contient le mot.

J'utilise les mots-repères

1. Quel mot va entre les mots-repères ?

1. lier – limite
liaison – ligne – libre – lire

2. mode – momie
mobile – monde – moineau – montagne

3. écouler – effet
échanger – école – effacer – effort

2. Est-ce que je cherche dans ces pages ?
avant ? après ?

Je cherche	J'ouvre à la double-page
lampion	globe – gout
figue	feu – file
rongeur	rêveur – rive
plaque	plante – pleurer
bouteille	bouton – brillant

3. Je place les mots avant, entre ou après
les mots-repères.

1. parc – parking – pareil – papier – partager

pardon – parler		
avant	entre	après
…	…	…

2. ticket – thon – tissu – tête – timbre – toit

tibia – tisser		
avant	entre	après
…	…	…

4. Je cherche ces mots dans mon dictionnaire.
J'indique les mots-repères
de la double-page où je les trouve.

1. comestible   **2.** gluant   **3.** limpide
4. percuter   **5.** viaduc

5. Dans mon dictionnaire, je cherche le mot
qui est écrit :
a. *juste avant*   amer – digue – main
b. *juste après*   hublot – poids – semer

Je sais lire un article de dictionnaire

6. J'associe le mot à sa définition.
claquer – pelucheux – sarabande

1. … adjectif

Un peu usé, avec de petits poils, doux
comme un ours ou un lapin en peluche.
*J'aime bien mettre mon vieux pull tout
pelucheux.*

2. … nom féminin

Danse rapide et bruyante. Faire la sarabande,
c'est courir dans tous les sens en faisant
beaucoup de bruit et de désordre.

3. … verbe

Faire un bruit sec. *Les volets claquent
à cause du vent.*

7. Je lis :

*Les comédiens attendent dans
les coulisses avant d'entrer en scène.*

Je cherche dans le dictionnaire :

coulisses nom féminin pluriel
Partie du théâtre cachée par le décor,
sur les côtés de la scène, que le public
ne peut pas voir.

**Je fais une image dans ma tête et j'écris
ce que j'ai compris :
Où sont les comédiens ?**

8. Je lis :

*Une fuite de gaz provoque une explosion
dans le centre-ville.*

Je cherche dans le dictionnaire :

provoquer verbe
Être la cause de quelque chose.
*Les orages ont provoqué des
inondations et des dégâts importants.*

**Je fais une image dans ma tête et j'écris
ce que j'ai compris.**

Jeu

Un mot de sept lettres se cache dans ces sept mots.
Indice : les deux premières lettres sont en couleur.

maman – tartine – genoux – chatouille – baiser – furibard – pruneau

4 Comment accorder l'adjectif qualificatif au féminin ?

L'adjectif qualificatif s'accorde avec le nom qu'il précise :
au masculin ou au féminin : un ballon vert – une toupie verte.

urgent, urgente adjectif
Une chose urgente, c'est une chose dont il faut s'occuper tout de suite, une chose qu'il faut faire sans attendre. *Maman a un travail urgent à finir.*

riche adjectif
Une personne riche, c'est une personne qui a beaucoup d'argent.
■ Le contraire de riche, c'est pauvre.

perçant, perçante adjectif
Le lynx a une vue perçante, il a une très bonne vue, il voit très loin.

naturel, naturelle adjectif
Le miel est un produit naturel, c'est un produit que l'on trouve dans la nature et qui n'a pas été fabriqué par l'homme.
■ Le contraire de naturel, c'est artificiel.

vertical, verticale adjectif
Une ligne verticale, c'est une ligne droite qui va de bas en haut. *Quand on est debout, on est en position verticale.* ■ Quand on est couché, on est en position horizontale.
➡ Au masculin pluriel : verticaux.
➡ Au féminin pluriel : verticales.

entier, entière adjectif
Une chose entière, c'est une chose à laquelle il ne manque rien. *Valentin a mangé une boîte entière de chocolats,* il a mangé tous les chocolats.

cru, crue adjectif
Un aliment cru, c'est un aliment qui n'est pas cuit. *Mathilde aime manger du poisson cru.*
■ Le contraire de cru, c'est cuit.

gros, grosse adjectif
1 Une grosse chose, c'est une chose qui prend beaucoup de place. *Madame Morand a une grosse voiture.*
■ Le contraire de gros, c'est petit.
2. Une personne grosse, c'est une personne qui a beaucoup de graisse et qui est très lourde. *Papa est trop gros, il va faire un régime pour maigrir.* ■ Le contraire de gros, c'est maigre, mince.
3. *Monsieur Ducret a de gros ennuis,* il a des ennuis importants.
4. Un gros mot, c'est un mot impoli. *Il ne faut pas dire de gros mots !* ■ Tu peux dire aussi **grossier.**

dangereux, dangereuse adjectif
Les trapézistes font un métier dangereux, ils font un métier où ils risquent d'avoir des accidents.

Le Robert Benjamin, 2015.

1 J'observe ces articles de dictionnaire. Pourquoi y a-t-il deux mots devant les définitions ?

2 Dans les définitions ou dans les phrases exemples, je relève l'adjectif avec le nom qu'il précise. Le nom est-il masculin ou féminin ? Comment l'adjectif se termine-t-il ?

• Au féminin, l'adjectif qualificatif se termine toujours par un e.
  – Quelquefois, on n'entend pas de changement : cru – crue.
  – Quelquefois, le e fait entendre la consonne muette du masculin : grand – grande.
  – Quelquefois, la consonne finale du masculin double : actuel – actuelle ; gros – grosse.
  – Souvent, on entend une autre transformation : léger – légère ; heureux – heureuse.

Quand l'adjectif se termine par un e au masculin, rien ne change : calme – calme.
À suivre...

Pour accorder l'adjectif, je me demande : quel est le nom qu'il précise ?
– Le nom est masculin singulier : un ballon() rond(?) → un ballon() rond()
– Le nom est féminin singulier : une table() rond(?) → une table() ronde()
Si j'hésite, je cherche le féminin dans mon dictionnaire.

1. Je choisis la forme de l'adjectif qualificatif.
  1. *froid – froide* Je me lave à l'eau ...
  2. *rayé – rayée* Léa a mis un pull ...
  3. *joli – jolie* Paul a une ... voix.
  4. *léger – légère* Tu prendras une valise ...
  5. *génial – géniale* Voilà une idée ... !

2. Je complète avec l'adjectif qualificatif.
  1. un écran géant – une tortue ...
  2. un gâteau sucré – une boisson ...
  3. un exercice facile – une question ...
  4. le ciel noir – la nuit ...
  5. un bijou précieux – une pierre ...

1. ... ouverte
   ... silencieuse
2. ... fatigant
   ... violet
3. ... dangereuse
   ... lourd
4. ... courageux
   ... neuve

Comment accorder l'adjectif qualificatif au singulier et au pluriel ?

L'adjectif qualificatif s'accorde avec le nom qu'il précise :
– au masculin ou au féminin : un ballon vert – une toupie verte
– et au singulier ou au pluriel : des ballons verts – des toupies vertes.

Pour accorder l'adjectif, je cherche le nom qu'il précise.
– Je me demande : le nom est-il masculin ou féminin ?
– Est-il au singulier ou au pluriel ?

un ballon◯ rond⑦	une table◯ rond⑦
L'adjectif précise *un ballon*. *Un ballon*, c'est le masculin singulier. J'écris l'adjectif au masculin singulier. un ballon◯ rond◯	L'adjectif précise *une table*. *Une table*, c'est le féminin singulier. J'écris le **e** du féminin. une table◯ rond**e**
des ballon**s** rond⑦	des table**s** rond⑦
L'adjectif précise *des ballons*. *Des ballons*, c'est le masculin pluriel. J'écris le **s** du pluriel. des ballon**s** rond**s**	L'adjectif précise *des tables*. *Des tables*, c'est le féminin pluriel. J'écris le **e** du féminin et le **s** du pluriel. des table**s** rond**es**

Le pluriel des adjectifs qualificatifs, c'est exactement comme le pluriel des noms.

1. La chaine d'accord est tracée. J'accorde l'adjectif qualificatif.

La salade◯ vert⑦ – des petit⑦ pain**s**

du lait◯ froid⑦ – des biscuit**s** croustillant⑦

des pomme**s** appétissant⑦

2. J'écris au singulier.

des histoires intéressantes
des fées bavardes – les princes charmants
des châteaux hantés – des bruits étranges
des lutins menteurs – les ogres gourmands
des enfants débrouillards

3. J'écris au pluriel.

   1. une idée originale – une feuille sèche
      un dessin animé – une année entière
      un journal gratuit – un cri strident

   2. un grand arbre vert
      un excellent gâteau sec
      la première journée ensoleillée
      une belle tulipe blanche

*4. J'écris un groupe nominal pour chaque adjectif qualificatif.

   prudents – lente – énormes – doré
   brisées – secret – pointue – gaies

*5. J'écris un adjectif qualificatif pour chaque groupe nominal.

   des jeux – une fleur – des crocodiles
   des lumières – un oiseau – des branches

4 J'utilise les adjectifs qualificatifs pour créer une ambiance

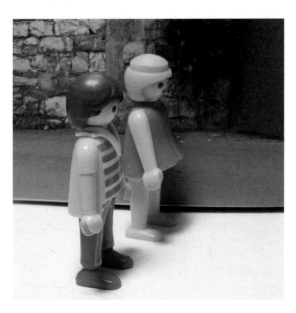

1 À partir de ce texte, tu vas écrire deux histoires :
– une histoire triste ou inquiétante,
– une histoire gaie.

2 Pour changer l'ambiance de ton texte, tu dois seulement compléter les mots en couleur avec un ou plusieurs adjectifs qualificatifs.

3 Tu conclus l'histoire : tu complètes la dernière phrase et tu continues.

Léon et Léonie courent dans la rue.
Ils traversent d'abord une place puis le parc. Ils arrivent devant une maison.
Ils frappent à la porte. Un monsieur vient ouvrir. Il salue les enfants
avec un sourire. Il les fait entrer dans une pièce.
Un chien est allongé sur un tapis. Une odeur flotte dans l'air.
Soudain, on entend un bruit. C'est ...

1. Je fais un film triste ou inquiétant dans ma tête : je vois les enfants, la rue, la maison...

   • Je cherche des adjectifs qualificatifs qui créent une ambiance triste ou inquiétante.
     Je peux penser aux adjectifs suivants :

   la rue, le parc, la place : gris, silencieux, froid, sombre, mouillé, vide, désert...

   la maison : délabrée, pauvre, sale...

   la porte : cassée, vieille, sombre, branlante, grinçante

   le monsieur : vieux, triste, courbé, tremblant, pâle, las...

   les enfants : misérables, grelottants, épuisés, sales, affamés, tristes...

   le sourire : triste, las, froid, mauvais, effrayant...

   la pièce : petite, sombre, sale, froide, poussiéreuse...

   le chien : maigre, squelettique, grognon...

   le tapis : décoloré, déchiré, poussiéreux...

   l'odeur : mauvaise, désagréable, affreuse, épouvantable...

   le bruit : fort, faible, sourd, étrange, bizarre...

   • Je choisis les adjectifs qualificatifs et j'écris mon histoire.

2. Je fais le même travail pour l'histoire gaie : je fais un film dans ma tête.

   Quels adjectifs vont bien faire comprendre que la rue, le parc... sont gais ?
   • Je note mes idées. Je les échange avec mes camarades.
   • Puis je choisis les adjectifs qualificatifs et j'écris mon histoire gaie.

Imaginer

- Ces personnages de l'histoire de la peinture sous leur drôle de chapeau, _____
qui sont-ils ? À quoi pensent-ils ?

    – Pour chaque personnage, décris d'abord son chapeau.
    – À quoi penses-tu en le voyant ?
    – Imagine ensuite le personnage qui porte le chapeau.
    Comment est-il ? Que fait-il ? Que pense-t-il ? Que dit-il ?

Bosch, *Le couronnement d'épines*,
Escurial, détail.

Bruegel l'Ancien, *Danse des paysans*,
Kunsthistorisches Museum, Vienne, détail.

Picasso, *Buste de femme au chapeau bleu*,
musée Picasso.

Rodin, *Jeune femme au chapeau fleuri*,
musée Rodin.

Petite Alice aux Merveilles (1)

Lewis Caroll, *Petite Alice aux Merveilles*, traduit par Florence Delaporte, illustrations d'Emmanuel Polanco, Hors Série Giboulées, © Éditions Gallimard Jeunesse.

Il était une fois une petite fille qui s'appelait Alice ; et elle fit un rêve très étrange. Tu veux savoir de quoi elle a rêvé ? Écoute, voilà ce qui s'est passé en premier. Un Lapin Blanc est arrivé en courant, très pressé ; et, juste au moment où il passait devant Alice, il s'est arrêté et il a sorti sa montre de sa poche. C'est incroyable, non ? Tu as déjà vu un lapin avec une montre et une poche pour la glisser dedans ? Bien sûr, si un lapin possède une montre, il a forcément une poche où la mettre ; la porter dans sa bouche ne serait pas pratique et, de temps en temps, il a besoin de ses mains pour courir. Comme il a de jolis yeux roses (tous les Lapins Blancs ont les yeux roses) et comme il a des oreilles roses, et une ravissante veste brune !

Tu peux même apercevoir son mouchoir de poche rouge qui jette un œil par la poche de sa veste. Avec sa cravate bleue et son gilet jaune, il est vraiment très élégant.

« Oh là là ! dit le Lapin. Je vais être en retard ! » À quoi ? Je te le demande ! C'est qu'il avait rendez-vous chez la Duchesse (tout à l'heure, tu la verras assise dans sa cuisine). La Duchesse était une vieille dame désagréable, et le Lapin savait que ça la mettrait très en colère s'il la faisait attendre.

Donc le pauvre avait très peur (secoue un peu le livre sur les bords et tu verras comme il tremble), il avait très peur que la Duchesse ne lui coupe la tête

pour le punir. Car c'est exactement ce que la Reine de Cœur faisait aux gens qui la mettaient en colère (tu vas la voir tout à l'heure). Du moins, elle donnait l'ordre de leur couper la tête. Personne ne coupait la tête de personne, mais elle croyait qu'on lui obéissait.

Donc, quand le Lapin Blanc s'est enfui, Alice a voulu voir ce qui lui arriverait. Alors elle a couru derrière lui, couru, couru, couru jusqu'à ce qu'elle tombe la tête la première dans son terrier.

Et là, sa chute a duré longtemps, longtemps, longtemps, jusqu'à ce qu'elle se demande si elle ne traversait pas le monde pour en ressortir de l'autre côté ! C'était comme un puits très profond, mais sans eau. Si quelqu'un y tombait pour de vrai, il se tuerait surement. Mais tu sais bien que ça ne fait pas mal de tomber en rêve : tu as l'impression de tomber, alors que tu es tranquillement allongé quelque part, profondément endormi.

Cette horrible chute s'est enfin terminée, et Alice a fini par atterrir sur un tas de brindilles et de feuilles sèches. Mais elle ne s'est pas fait mal du tout, elle a sauté sur ses pieds et s'est remise à courir derrière le Lapin.
Voilà donc le début de l'étrange rêve d'Alice. Alors, la prochaine fois que tu vois un Lapin Blanc, essaie de t'imaginer que toi aussi, tu vas faire un rêve étrange, tout comme notre chère petite Alice.

---

1. Qui sont les personnages de cette histoire ? Que sais-tu d'eux ?

2. Qui est « tu » dans ce texte ?

3. Explique comment Alice s'est retrouvée sur un tas de brindilles et de feuilles sèches.

4. Pour bien lire ce texte à un jeune enfant qui ne sait pas encore lire, que dois-tu faire ?

5 L'adjectif qualificatif séparé du nom par le verbe *être*

Je me rappelle

• J'accorde l'adjectif qualificatif.

1. Au bas de l'immeuble, il y a un passage protégé◯et des feux tricolore◯.

2. Au marché, j'ai acheté des haricots vert◯, des pommes appétissant◯, des oranges sucré◯et une gros◯pastèque.

J'observe, je réfléchis, je comprends

1 Je compare le groupe nominal et la phrase.
Dans la phrase, quel est le sujet du verbe ? Où est placé l'adjectif qualificatif ?
L'accord de l'adjectif qualificatif change-t-il ?

le lapin inquiet
Le lapin est inquiet.

les vêtements élégants
Les vêtements sont élégants.

les feuilles sèches
Les feuilles sont sèches.

la porte fermée
La porte est fermée.

2 Je transforme les groupes nominaux pour faire des phrases avec le verbe *être*.

le rêve étrange – ses yeux roses – cette horrible chute – les poches pleines

---

Quand l'adjectif qualificatif est séparé du groupe nominal sujet par le verbe *être*,
il s'accorde avec le sujet du verbe.

les jour◯ long◯   Les jour◯ sont long◯.

À suivre...

Quand j'écris un adjectif après le verbe *être* :
– je cherche le sujet du verbe,
– j'accorde l'adjectif avec le sujet.

1. J'accorde les adjectifs qualificatifs.

1. Mon crayon est taillé◯.

2. La mine est pointu◯.

3. Mes lignes sont droit◯ et fin◯.

4. Mes figures sont exact◯.

1. Les joueurs sont prêt◯.

2. Les cartes sont distribué◯.

3. La partie est intéressant◯.

4. Ma famille est fini◯.

2. J'accorde les adjectifs qualificatifs.

1. Dès que le temps est beau◯, la ville
est gai◯ et vivant◯. L'air est léger◯.
Les rues sont animé◯.
Les jardins sont plein◯ de cris d'enfants.
Les passants sont souriant◯.

2. Sous le pont, la rivière est profond◯.
L'eau est clair◯, mais elle est froid◯.
Le courant est rapide◯. La baignade
est interdit◯car elle est dangereu◯.

3. Émilie est perdu◯. Elle est seul◯
dans le grand magasin. Les allées sont
immense◯. Elle est effrayé◯.
Ses parents sont inquiet◯.

Comment distinguer les noms et les adjectifs ?

> • **Pour reconnaitre un nom, je vérifie :**
> – Je peux mettre un déterminant devant le mot.
> – Je ne peux pas supprimer le mot.
>
> Je dis : *un fruit sucré*, mais je ne peux pas dire *un sucré*.
> *Fruit* est un nom.
>
> • **Pour reconnaitre un adjectif, je vérifie :**
> – Le mot précise un nom.
> – Je peux supprimer le mot.
>
> Je peux supprimer *sucré* et dire simplement *un fruit*.
> *Sucré* est un adjectif.

Je reconnais les noms et les adjectifs

1. Je recopie les noms avec un déterminant.

1. damier – jeu – cartes – perdu – pion
2. quai – wagons – contrôleur – pressé
3. palmiers – désertique – dune – chameau

2. Je recopie les adjectifs qualificatifs. J'écris leurs deux formes : masculin et féminin.

1. calme – camarade – détendu – gai
2. nuageux – ciel – ensoleillé – sombre
3. raide – cheveux – court – peigné

3. Je souligne les noms.
J'entoure les adjectifs.

1. En hiver, pendant les jours froids, on met des pulls à manches longues.
2. Un éclair brillant a traversé le ciel noir et on a entendu le grondement lointain du tonnerre.
3. Pour son anniversaire, ma meilleure copine a suspendu des ballons blancs et bleus dans l'entrée et dans le couloir de son immeuble.
4. Deux fois par jour, la mer monte : c'est la marée haute. Puis elle descend : c'est la marée basse.
5. Trois élèves de notre classe ont fait un exposé intéressant sur la vie des hommes préhistoriques.

4. Je souligne les adjectifs.
J'entoure les noms qu'ils précisent.

1. L'océan est une immense étendue d'eau salée.
2. Le jardinier a allumé un grand feu avec les feuilles mortes.
3. Les perroquets ont un bec crochu, des plumes longues aux couleurs vives, une voix forte et souvent un caractère taquin.

Parfois, pour le même mot, il y a deux articles dans le dictionnaire :
secret : nom ; **secret, secrète** : adjectif.

*5. Le mot en couleur est-il un nom ou un adjectif qualificatif ?
Je justifie ma réponse.

1. Devine ce que j'ai dans le creux de ma main !
   L'écureuil fait son nid dans un arbre creux.
2. Nous habitons un quartier calme.
   J'aime le calme de la campagne.
3. Aujourd'hui, Il y a trois malades dans la classe.
   Le pédiatre soigne les enfants malades.
4. Le public applaudit les comédiens.
   Nous allons jouer dans le jardin public.
5. Autrefois, les explorateurs partaient à la recherche de pays inconnus.
   Les enfants ne doivent jamais suivre des inconnus dans la rue.

Après sa chute dans le terrier du Lapin, et sa très longue course souterraine, Alice s'est retrouvée soudain dans un grand hall entouré de portes. Elles étaient toutes fermées à clef. La pauvre Alice ne pouvait pas sortir, et elle était très triste.

Alors, au bout d'un moment, elle s'est approchée d'une petite table en verre à trois pieds (sur l'image, il y en a deux et juste le début du troisième), et sur la table il y avait une petite clef : elle a donc fait le tour du hall et essayé d'ouvrir toutes les portes avec la clef. Pauvre Alice ! La clef n'en ouvrait aucune ! Mais elle a fini par découvrir une toute petite porte : elle a essayé et… Oh, ça marchait !

Comme elle était contente ! Elle a ouvert la porte, elle s'est agenouillée pour regarder au travers, et que crois-tu qu'elle a vu ? Un magnifique jardin ! Ça alors ! Elle avait follement envie d'y aller, mais la porte était bien trop petite. Elle ne pouvait pas se faufiler au travers, pas plus que toi, tu ne pourrais entrer dans un trou de souris.

La pauvre petite Alice a donc fermé la porte, elle a remis la clef sur la table, où elle a trouvé quelque chose de nouveau (regarde bien l'image). Qu'est-ce que c'était à ton avis ? Une petite bouteille avec une étiquette autour du col sur laquelle on pouvait lire « BOIS-MOI ». Alors elle a goûté. Et c'était très bon. Donc elle l'a bue tout entière. Et là il est arrivé quelque chose de vraiment bizarre, de si bizarre que tu ne devineras jamais.

Alors je vais te le dire : elle a rapetissé, rapetissé, rapetissé jusqu'à devenir aussi petite qu'une poupée !

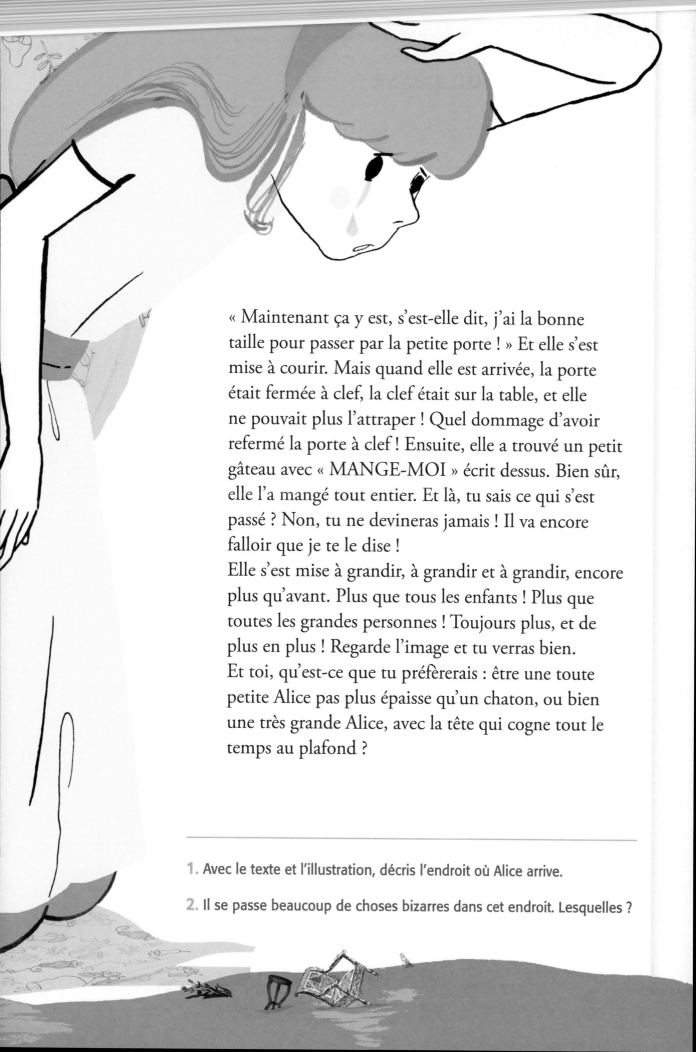

« Maintenant ça y est, s'est-elle dit, j'ai la bonne taille pour passer par la petite porte ! » Et elle s'est mise à courir. Mais quand elle est arrivée, la porte était fermée à clef, la clef était sur la table, et elle ne pouvait plus l'attraper ! Quel dommage d'avoir refermé la porte à clef ! Ensuite, elle a trouvé un petit gâteau avec « MANGE-MOI » écrit dessus. Bien sûr, elle l'a mangé tout entier. Et là, tu sais ce qui s'est passé ? Non, tu ne devineras jamais ! Il va encore falloir que je te le dise !

Elle s'est mise à grandir, à grandir et à grandir, encore plus qu'avant. Plus que tous les enfants ! Plus que toutes les grandes personnes ! Toujours plus, et de plus en plus ! Regarde l'image et tu verras bien.

Et toi, qu'est-ce que tu préfèrerais : être une toute petite Alice pas plus épaisse qu'un chaton, ou bien une très grande Alice, avec la tête qui cogne tout le temps au plafond ?

---

1. Avec le texte et l'illustration, décris l'endroit où Alice arrive.

2. Il se passe beaucoup de choses bizarres dans cet endroit. Lesquelles ?

5 Les temps du passé

Je me rappelle

● Pour chaque phrase, je dis si elle parle du passé, du présent ou du futur.

Des pêcheurs ont capturé un calamar géant. Il vivait dans l'océan Antarctique. Il mesure plus de 10 mètres et pèse plus de 400 kilos. On pourra bientôt le voir exposé au musée de la Mer.

J'observe, je réfléchis, je comprends

1 Je relève les verbes qui indiquent le passé et j'écris leur infinitif.

L'année dernière, nous avons adopté Satin, notre chien.
Je vais vous raconter cette histoire.
Je marchais dans la forêt avec mes parents. Il faisait
très chaud ce jour-là. Nous étions assis à l'ombre,
sur des pierres, pour nous reposer et nous discutions
quand un tout petit chien noir est arrivé.
Il a frotté son museau contre mes jambes. J'ai eu un peu
peur, mais je n'ai pas crié. Il s'est couché devant nos pieds et il a attendu.
Papa lui a donné un peu d'eau. Maman a caressé sa tête, puis nous sommes repartis.
Le chien a couru derrière nous jusqu'à la maison. Pendant plusieurs jours, nous avons
cherché son maitre. Mais personne n'est venu le réclamer. Alors, mes parents ont décidé
de le garder. Et depuis, Satin est heureux chez nous.

2 Je classe les verbes que j'ai relevés en deux colonnes.
J'écris le critère de classement en tête de colonne.

...	...
je marchais	nous avons adopté

3 Je réfléchis et j'échange mes idées :
a. Dans quelle partie du texte sont situés les verbes de la colonne de gauche ?
– Je relis cette partie du texte : qu'est-ce que j'apprends ?
b. Dans quelle partie du texte sont situés les verbes de la colonne de droite ?
– Je relis cette partie du texte : qu'est-ce que j'apprends ?

L'imparfait et le passé composé **sont deux temps du passé.**
Le passé composé est une conjugaison composée de deux parties.
Quand je raconte un évènement ou une histoire, je sais utiliser ces deux temps :
– l'imparfait pour présenter les circonstances de l'évènement,
le cadre de l'histoire (où, quand, comment...).
– le passé composé pour présenter l'évènement, ce qui arrive.

À suivre...

Je reconnais l'imparfait et le passé composé

1. Je souligne en bleu les verbes conjugués à l'imparfait, en vert les verbes conjugués au passé composé.

1. Il faisait très froid. Le vent soufflait. Nous avons attendu le bus pendant vingt minutes.

2. La porte du jardin était ouverte. Le facteur est arrivé. Le chien a aboyé.

3. Depuis longtemps nous passions les vacances à la montagne. L'an dernier, nous sommes partis au bord de la mer.

4. Je voulais dire au revoir à Pauline, mais elle est partie trop vite.

2. Je souligne en bleu les verbes conjugués à l'imparfait. J'écris leur infinitif.

1. Hier la pluie tombait. Nous sommes restés toute la journée à l'intérieur.

2. Jules était toujours de bonne humeur. Il souriait tout le temps. Mais un matin, il est arrivé avec un visage triste et des larmes dans les yeux.

3. Mes amis Pierre et Jean habitaient près de chez moi. Nous aimions jouer ensemble. Depuis qu'ils ont déménagé, je pense souvent à eux.

*3. Je souligne les verbes conjugués au passé composé. J'écris leur infinitif.

La pauvre petite Alice a donc fermé la porte, elle a remis la clef sur la table, où elle a trouvé quelque chose de nouveau (regarde bien l'image). Qu'est-ce que c'était à ton avis ? Une petite bouteille avec une étiquette autour du col sur laquelle on pouvait lire « BOIS-MOI ». Alors elle a gouté. Et c'était très bon. Donc elle l'a bue tout entière. Et là il est arrivé quelque chose de vraiment bizarre, de si bizarre que tu ne devineras jamais. Alors je vais te le dire : elle a rapetissé, rapetissé, rapetissé jusqu'à devenir aussi petite qu'une poupée !

Lewis Carroll, *Petite Alice aux Merveilles*, traduit par Florence Delaporte, © Éditions Gallimard Jeunesse. www.gallimard-jeunesse.fr

J'utilise l'imparfait et le passé composé

4. Imparfait ou passé composé ? Je choisis le temps de conjugaison qui va bien dans la phrase.

1. Le téléphone *(a sonné/sonnait)* juste au moment où je sortais.

2. Je m'endormais quand tout à coup un oiseau *(a chanté/chantait)*.

3. Vers 1730, la traversée de l'océan Atlantique en voilier *(durait/a duré)* environ soixante jours. Quand le bateau *(arrivait/est arrivé)* au Canada, les passagers *(étaient/ont été)* épuisés.

Pour aller plus loin

Monsieur Bonhomme

Monsieur Bonhomme lisait
Un immense journal.
Le soir tombait,
Le fauteuil était confortable,
Monsieur Bonhomme s'est endormi.

Le vent s'est levé,
La fenêtre s'est ouverte,
Monsieur Bonhomme dormait.

Le vent est entré,
Le journal s'est animé,
Monsieur Bonhomme dormait.

Le vent a insisté,
Le journal s'est gonflé,
Monsieur Bonhomme s'est envolé.

« Monsieur Bonhomme », Marie-Laure Chalaron, *La Grammaire autrement*, © Presses universitaires de Grenoble, 1990.

a. Que faisait Monsieur Bonhomme juste avant de s'endormir ? À quel temps le verbe est-il conjugué ?

b. Que s'est-il passé pendant que Monsieur Bonhomme dormait ? À quel temps les verbes sont-ils conjugués ?

c. Invente un autre évènement qui s'est passé pendant que Monsieur Bonhomme dormait.

5

Tu crois peut-être qu'Alice était ravie d'avoir grandi autant après avoir mangé le petit gâteau ? Car c'était très facile maintenant d'attraper la petite clef sur la table en verre et d'ouvrir la toute petite porte. Elle aurait pu y arriver bien sûr, mais c'était inutile, puisqu'elle ne pouvait plus sortir ! C'était bien pire qu'avant ! La pauvre, tout ce qu'elle pouvait faire, c'était se débrouiller pour mettre la tête par terre et regarder au travers avec un seul œil !

Mais c'était bien tout. Pas étonnant que la pauvre et grande enfant s'assoie pour pleurer, pleurer, pleurer toutes les larmes de son corps. Et ses larmes coulèrent au milieu du hall en une rivière profonde qui, très vite, remplit la pièce à moitié : une vraie mare de larmes !

Alice y serait encore aujourd'hui si le Lapin Blanc n'avait traversé le hall par hasard en se rendant chez la Duchesse. Il était sur son trente et un, avec des gants de chevreau blancs dans une main, et un petit éventail dans l'autre. Il ronchonnait sans arrêt : « Oh, la Duchesse, la Duchesse ! Elle va être folle de rage de m'avoir attendu ! » Il n'avait pas vu Alice, tu sais. Alors quand elle lui a demandé : « Monsieur, s'il vous plait… », sa voix avait l'air de tomber du plafond, tant sa tête était haute. Horriblement effrayé, le Lapin a fait tomber les gants et l'éventail pour filer ventre à terre. Ensuite, il s'est passé quelque chose de vraiment bizarre. Alice a ramassé l'éventail pour s'éventer. Et là figure-toi qu'elle s'est mise à rapetisser, rapetisser, rapetisser, et en une minute, elle était aussi grande qu'une souris !

Regarde l'image et tu devineras facilement ce qui s'est passé après.

On dirait la mer, non ? Eh bien, c'est la Mare aux Larmes : les larmes d'Alice, tu te souviens ? Alice est tombée dans la mare. Et la souris aussi. Et les voilà maintenant en train de nager ensemble.

N'est-ce pas qu'Alice est jolie, alors qu'elle nage à travers l'image ?

On voit même ses collants bleus sous l'eau profonde.

Mais pourquoi la souris s'éloigne-t-elle d'Alice à toute vitesse ? Eh bien, parce qu'Alice s'est mise à parler de chiens et de chats, et les souris ont horreur qu'on parle de chiens et de chats !

Toi, imagine que tu sois en train de nager dans la Mare de tes Larmes, et que quelqu'un se mette à te parler de l'école et de médicaments : je suis sûr que tu nagerais aussi vite que possible pour t'enfuir !

1. Le Lapin Blanc a eu peur d'Alice : pourquoi ?

2. Alice nage avec une souris. Explique comment cela est arrivé.

3. Récapitule tous les changements qui sont arrivés à Alice.

5 Bien lire une définition

- Quel est le mot défini ? Quelle est sa nature ?
  Je lis à haute voix la définition.
  Je lis à haute voix la phrase exemple.

collier nom masculin

1. Un collier, c'est un bijou que l'on porte autour du cou. *Maman a un collier de perles.*

Le Robert Benjamin, 2015.

J'observe, je réfléchis, je comprends

1 Je complète ces définitions : j'écris le nom défini.

… nom … …, c'est un bijou que l'on porte au bras.

… nom … …, c'est un bijou que l'on porte au doigt.

2 Je compare la définition de *collier* et les deux définitions de l'activité 1 :
comment ces trois définitions sont-elles construites ?

3 Sur chaque ligne, je cherche le mot commun aux trois définitions :

moineau nom masculin
Un moineau, c'est un petit oiseau brun. *Les moineaux mangent des graines, des insectes et des fruits.*
➡ Au pluriel : des **moineaux**.

mouette nom féminin
Une mouette, c'est un oiseau gris et blanc qui vit au bord de la mer ou des fleuves. *La mouette ressemble au goéland, mais elle est plus petite.*

hirondelle nom féminin
Une hirondelle, c'est un oiseau noir avec le ventre blanc qui a de longues ailes fines. *Les hirondelles arrivent en France au printemps et repartent vers l'Afrique en automne.*

① **déjeuner** verbe
Déjeuner, c'est manger le repas du matin ou de midi. *Carlos et Valentin déjeunent à la cantine de l'école.*

grignoter verbe
Grignoter, c'est manger lentement, petit bout par petit bout. *Le bébé grignote son biscuit.*

dévorer verbe
Dévorer, c'est manger en déchirant avec ses dents. *Le lion a dévoré le zèbre.*

Le Robert Benjamin, 2015.

4 Dans une définition, quelle est la première information que l'on me donne ?
Qu'est-ce que j'apprends ensuite ?

Je sais depuis longtemps classer les objets, les actions et utiliser le mot général qui nomme une classe.
Dans la définition, **je trouve toujours** :
– d'abord **un mot général** ;
– puis **des précisions** sur l'objet ou sur l'action.

Je reconnais le mot général

1. Je recopie le mot général dans ces définitions.

1. Un fauteuil, c'est un siège avec un dossier et des bras.
2. Un tabouret, c'est un siège sans dossier et sans bras.
3. Une chaise, c'est un siège avec un dossier et sans bras.

Je complète :

Le fauteuil, la chaise, le tabouret sont des ….

2. Je recopie le mot général dans ces définitions.

1. Contrôler, c'est regarder pour vérifier que tout est comme il faut.
2. Examiner, c'est regarder très attentivement.
3. Fixer, c'est regarder sans bouger les yeux.

Je complète :

Contrôler, examiner, fixer sont trois façons de ….

Je classe des mots sous un mot général

3. Je complète chaque colonne avec quatre noms communs.

oiseau	vêtement	magasin	poisson
...	...	...	...

4. Je complète chaque colonne avec trois noms propres.

ville	fleuve	héros	pays
...	...	...	...

5. J'écris le mot général pour les noms suivants.

1. La pomme, l'orange, la poire, la datte sont des ....

2. La table, le lit, le buffet, la commode, l'armoire sont des ....

3. Le rectangle, le carré, le losange, le cercle sont des ....

4. La vue, l'ouïe, l'odorat, le gout, le toucher sont des ....

5. L'automne, l'hiver, le printemps, l'été sont des ....

*6. J'écris le mot général pour les verbes suivants.

1. Bavarder, discuter, chuchoter, articuler, murmurer sont des manières de ....

2. Offrir, distribuer, échanger sont des manières de ....

3. Boutonner, lacer, enchainer, épingler, ficeler, nouer sont des manières d'....

Je complète les définitions

7. Je complète les définitions des verbes avec le même mot général.

1. **Arracher**, c'est ... en tirant avec force.

2. **Débarrasser**, c'est ... ce qui gêne, ce qui encombre.

3. **Décoller**, c'est ... quelque chose qui est collé.

4. **Peler**, c'est ... la peau.

8. Je complète les définitions des noms avec un mot général.

1. Le tennis est un ... dans lequel deux joueurs s'envoient une balle avec des raquettes par-dessus un filet.

2. Une vipère, c'est un ... venimeux qui a la tête en forme de triangle.

3. La rougeole est une ... qui donne des petites taches rouges sur la peau.

4. Une chambre, c'est une ... où l'on dort.

9. Je regarde les illustrations et je complète les définitions.

La marguerite est une fleur ....

La jonquille est une fleur ....

L'iris est une fleur ....

1. ... jaune qui pousse dans les champs et dans les bois au printemps.

2. ... bleue, blanche, violette ou jaune avec une très longue tige et des feuilles pointues.

3. ... blanche à cœur jaune qui pousse dans les prés.

J'écris

● Je remplace le mot souligné par sa définition.

1. Alice a mangé le petit gâteau.

> **gâteau** nom masculin
> Un gâteau, c'est un aliment fait avec de la farine, des œufs, du beurre et du sucre. *Mamie a fait un gâteau au chocolat. Quel est ton gâteau préféré ?*
> ➠ Ce mot s'écrit avec un â.
> ➠ Au pluriel : des **gâteaux**.
>
> *Le Robert Benjamin*, 2015.

2. Le Lapin a fait tomber ses gants et l'éventail.

Je cherche les définitions dans mon dictionnaire.

5 Le pluriel des adjectifs qui se terminent par *s* ou par *eux* au singulier

Quand l'adjectif qualificatif se termine par *s* au masculin singulier,	
il est invariable au masculin pluriel. un lit bas – des lits bas	il suit la règle générale au féminin pluriel. une table basse – des tables basses

 Au masculin singulier, le *s* à la fin de l'adjectif est muet. Pour ne pas l'oublier, je cherche le féminin : j'entends /s/ ou /z/. Cela m'indique que le masculin se termine par *s* : grise ↦ gris.

Quand l'adjectif qualificatif se termine par *eux* au masculin singulier,	
il est invariable au masculin pluriel. un lion furieux – des lions furieux	il suit la règle générale au féminin pluriel. une lionne furieuse – des lionnes furieuses

 Au masculin singulier, le *x* à la fin de l'adjectif est muet. Pour ne pas l'oublier, je cherche le féminin : j'entends *euse*. Cela m'indique que le masculin se termine par *x* : furieuse ↦ furieux.

1. J'écris au pluriel.

un geste précis – un mauvais exemple
un jardin clos – un gros défaut
un film français – un roman anglais

2. J'écris au singulier.

des papiers gras – des fruits frais
des airs surpris – des chapeaux chinois

3. J'écris le groupe nominal en couleur au pluriel, puis je complète avec le même adjectif qualificatif.

1. une fumée épaisse
   des rideaux ... – un livre ...
2. une souris grise
   des nuages ... – un pull ...
3. l'herbe rase
   les cheveux ... – le poil ...

4. J'écris les quatre formes des adjectifs.

masculin singulier	masculin pluriel	féminin singulier	féminin pluriel
...	...	...	...

épais – surpris – gros – mauvais – compris

5. J'écris au pluriel.

un fruit délicieux – un animal affectueux
un air malicieux – un paysage montagneux
un sourire gracieux

6. J'écris au singulier.

des virages dangereux – des masques affreux
des chants joyeux – des buissons épineux
des troncs rugueux – des signes mystérieux

7. J'écris au masculin pluriel.

des histoires merveilleuses – des contes ...
des vitrines lumineuses – des voyants ...
des vipères venimeuses – des serpents ...
des voix mélodieuses – des chants ...

8. J'écris le groupe nominal en couleur au pluriel, puis je complète avec le même adjectif qualificatif.

1. une nuit pluvieuse
   des pays ... – un temps ...
2. une soirée orageuse
   des nuages ... – un ciel ...
3. une pierre précieuse
   des bijoux ... – un métal ...

Les couples de noms masculin et féminin

libraire nom masculin et féminin
Un libraire, une libraire, c'est une personne qui vend des livres dans une librairie.

berger nom masculin,
bergère nom féminin
Un berger, une bergère, c'est une personne qui garde les moutons et les chèvres.

coiffeur nom masculin,
coiffeuse nom féminin
Un coiffeur, une coiffeuse, c'est une personne dont le métier est de coiffer, de couper les cheveux. *Gabin est allé chez le coiffeur, il a les cheveux très courts.*

lion nom masculin, **lionne** nom féminin
Un lion, une lionne, c'est un grand animal d'Afrique et d'Asie qui a la queue terminée par une touffe de poils. *Le lion a une crinière, la lionne n'en a pas.*
■ Le lion est un félin, il rugit.
■ On dit que le lion est le roi des animaux.

magicien nom masculin,
magicienne nom féminin
Un magicien, une magicienne, c'est une personne qui fait des tours de magie. *Le magicien a fait sortir une colombe de son chapeau.*
■ Cherche aussi **prestidigitateur**.

ami nom masculin, **amie** nom féminin
Un ami, une amie, c'est une personne que l'on aime beaucoup et avec qui l'on s'entend bien. *Tom est le meilleur ami d'Étienne. Laura a invité tous ses amis à son anniversaire.*
■ Cherche aussi **camarade, copain**.
■ Le contraire de ami, c'est **ennemi**.

acteur nom masculin,
actrice nom féminin
Un acteur, une actrice, c'est une personne dont le métier est de jouer dans des films ou dans des pièces de théâtre.
■ Tu peux dire aussi **comédien**.

Le Robert Benjamin, 2015.

1. Observe ces articles de dictionnaire. Pourquoi y a-t-il deux noms devant les définitions ? Pourquoi y a-t-il un seul nom pour *libraire* ?

2. Compare la terminaison des deux noms. Que remarques-tu ?

3. Cherche dans ton dictionnaire les noms *garçon* et *fille*. Où les trouves-tu ?

• **Les noms de personnes, les noms de certains animaux vont par deux :** un nom masculin et un nom féminin.

• **On forme presque toujours le nom féminin à partir du nom masculin.**
 Dans ce cas, le nom féminin se termine par un e.
 – ami-amie : on ajoute un e que l'on n'entend pas.
 – libraire : il y a déjà un e à la fin du nom masculin, le nom ne change pas.
 – voyageur-voyageuse : **eur** ↦ **euse**   – directeur-directrice : **teur** ↦ **trice**
 – équipier-équipière : **er** ↦ **ère**
 – lion-lionne : **ion** ↦ **ionne**   – magicien-magicienne : **ien** ↦ **ienne**

• **Mais parfois les deux noms sont différents :**
 garçon - fille, cheval - jument, singe - guenon…   *À suivre...*

---

1. J'écris le nom féminin qui correspond au nom masculin.

 un marchand – un écolier – un piéton
 un gardien – un explorateur

2. J'écris le nom masculin qui correspond au nom féminin.

 une conductrice – une pilote
 une musicienne – une avocate
 une policière – une chanteuse

3. Je remplace le nom féminin en couleur par le nom masculin qui correspond.

 Au rayon des jouets, une vendeuse montre à une fille un déguisement de princesse. Mais sa cliente préfère se déguiser en sorcière ou encore en pirate.

*4. J'écris trois noms qui se forment
 – comme le couple berger - bergère
 – comme le couple acteur - actrice

5 J'écris un portrait

Il faut avouer d'ailleurs que Pierrot avait le physique de son emploi. Peut-être parce qu'il travaillait la nuit et dormait le jour, il avait un visage rond et pâle qui le faisait ressembler à la lune quand elle est pleine. Ses grands yeux attentifs et étonnés lui donnaient l'air d'une chouette, comme aussi ses vêtements amples, flottants et tout blancs de farine. Comme la lune, comme la chouette, Pierrot était timide, silencieux, fidèle et secret. Il préférait l'hiver à l'été, la solitude à la société, et plutôt que de parler – ce qui lui coutait et dont il s'acquittait mal – il aimait mieux écrire, ce qu'il faisait à la chandelle, avec une immense plume, adressant à Colombine de longues lettres qu'il ne lui envoyait pas, persuadé qu'elle ne les lirait pas.

Michel Tournier, *Pierrot ou les secrets de la nuit*, illustrations de Danièle Bour, © Éditions Gallimard. www.gallimard.fr

1 **Je réponds par oui ou par non. Je justifie mes réponses.**

Avec le texte, je connais un peu
– le visage de Pierrot
– son aspect physique
– son habillement
– son caractère
– ses gouts
– ses qualités et ses défauts
– son comportement

2 **Je continue oralement le portrait de Pierrot.**

Avec l'illustration, je présente ou j'imagine ce que je ne connais pas.

3 **Colombine travaille le jour et dort la nuit.**
   Je fais son portrait.

– Je choisis des adjectifs qualificatifs pour décrire son visage, ses yeux, ses cheveux.

– Je décris ses vêtements.

– J'imagine son caractère, ses gouts, ses qualités, ses défauts.

Pour écrire le portrait de quelqu'un :

– Je présente son aspect physique : son visage, ses cheveux, sa taille…
   Je pense à utiliser des adjectifs qualificatifs.

– Je présente son caractère, ses gouts, ses qualités, ses défauts.
   Je pense à utiliser des adjectifs qualificatifs.

– Je présente son comportement.
   Je cherche des verbes pour dire ce qu'il fait, et comment il est avec les autres.

Décrire

- Je choisis un personnage.
  Je le décris pour que mes camarades le trouvent.

Petite Alice aux Merveilles (4)

11. LE JARDIN DE LA REINE

Voilà un petit bout du magnifique jardin dont je t'ai parlé tout à l'heure. Tu vois, Alice a enfin trouvé le moyen de rapetisser suffisamment pour passer par la toute petite porte. Elle devait être aussi grande qu'une souris debout sur ses pattes arrière ; le rosier que tu vois est donc un rosier minuscule, et les jardiniers sont de minuscules jardiniers.

Quels drôles de petits bonshommes ! Tu crois que ce sont vraiment des hommes ? À mon avis, ce sont plutôt des cartes vivantes, avec une tête, des bras et des jambes pour ressembler à de petits hommes. Je me demande bien ce qu'ils fabriquent avec cette peinture rouge !

Eh bien, voici ce qu'ils ont raconté à Alice : la Reine de Cœur voulait un rosier rouge dans ce coin du jardin ; et ces pauvres petits jardiniers ont fait une grave erreur : ils ont planté un rosier blanc à la place. La Reine allait se mettre en colère, c'est sûr, elle donnerait l'ordre qu'on leur coupe la tête, et ils étaient terrifiés ! C'était une Reine horriblement méchante. Voilà ce qu'elle disait quand elle se mettait en colère : « Qu'on leur coupe la tête ! » Personne ne lui obéissait bien sûr, personne ne coupait la tête de personne, mais c'est ce que la Reine disait toujours.

Tu devines ce que ces pauvres jardiniers essaient de faire ?
De peindre en rouge les roses blanches, et ils se pressent de finir
avant l'arrivée de la Reine. Et alors, peut-être qu'elle ne devinera jamais
que c'était un rosier blanc à l'origine ; et alors, peut-être que les petits hommes
ne se feront pas couper la tête !
Regarde, il y avait six grandes roses sur ce rosier blanc : c'est du travail
de les peindre en rouge ! Ils ont déjà réussi à en peindre trois et la moitié
d'une, et si seulement ils s'arrêtaient de bavarder…
Allez, petits bonshommes, travaillez, travaillez, sinon la Reine viendra
avant que cela ne soit fini ! Et si elle trouve la moindre rose blanche,
vous savez ce qui va arriver ? Elle dira : « Qu'on leur coupe la tête ! »
Oh là là, vite, vite, mes petits bonshommes, dépêchez-vous, dépêchez-vous !
Ah, la Reine est arrivée ! Et elle est très en colère ! Oh, ma pauvre petite Alice !

Tu es un des jardiniers. Raconte à Alice ce que tu fais.

6 Le complément du nom

• Je souligne les groupes nominaux qui contiennent un adjectif qualificatif. J'entoure les adjectifs.

Au bas de l'immeuble, il y a un passage protégé et des feux tricolores.

J'observe, je réfléchis, je comprends

Chaque mois, la bibliothécaire expose des livres sur un thème.

1 Quel est le thème de ce mois-ci ?

2 Comment distingues-tu les titres entre eux ?

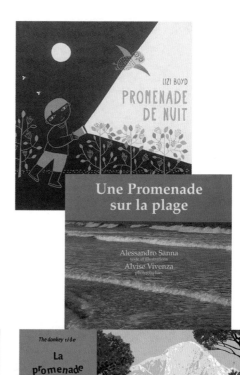

• Le complément du nom **apporte des précisions au nom.**

Le complément du nom se compose :

– d'une préposition (un mot invariable) : *à, de, avec, en, sur, sous, dans, pour, près de*…

– suivie d'un nom : un crayon de couleur, un sac à dos, une table en fer

– ou suivie d'un groupe nominal : une glace à la fraise, un livre pour les petits enfants

– ou suivie d'un verbe à l'infinitif : une machine à laver, un exercice pour s'entrainer.

• Le complément du nom **fait partie du groupe nominal.**

Je reconnais le complément du nom

1. Je retrouve le nom de chaque sac.
J'écris le numéro et le nom du sac.

sac à main – sac en plastique – sac à dos
sac de voyage – sac en papier – sac de plage

2. Dans ces groupes nominaux,
je souligne le complément du nom,
j'encadre la préposition.

1. une cuillère en bois – un plat à tarte
2. une planche à découper
3. une balance de cuisine
4. un couteau à pain
5. un moule pour cuire les gâteaux
6. une tasse à thé – un bol de riz

3. Je souligne le nom et son complément
du nom. J'encadre le complément du nom.

1. La réparation du toit sera rapide.
2. J'ai cassé les freins de mon vélo.
3. Aimes-tu les œufs à la coque ?
4. Pour l'anniversaire de Manon, nous avons
mangé un gâteau au chocolat.
5. Au début du printemps, tous les arbres
de ma rue sont fleuris.

***4.** Je souligne le complément du nom.
Puis je donne la nature du mot qui suit
la préposition : nom, groupe nominal
ou infinitif.

1. une porte en bois
2. un moyen pour rapetisser
3. un coin du jardin
4. des cartes avec une tête, des bras
et des jambes

5. des rosiers à peindre
6. des roses de toutes les couleurs
7. l'arrivée de la Reine
8. la Reine de Cœur
9. le pays des merveilles
10. une histoire pour les enfants

J'emploie les compléments du nom

5. Je complète le complément du nom
avec une préposition.

une chaise ... bois – un tronc ... arbre
une tartine ... beurre – un yaourt ... sucre
la pâte ... modeler – la pâte ... sel
des lunettes ... soleil – des chaussures ... cuir
une histoire ... rire

6. Je choisis le complément du nom
et je complète le groupe nominal.

de course – en avion – pour le concert
sans fautes – d'été

un billet ... – un voyage ... – un vêtement ...
un exercice ... – une voiture ...

J'écris

Depuis que Lili a découvert un livre de magie près de son lit, sa vie a complètement changé ! Grâce aux sortilèges qu'il contient, elle se déplace dans le temps et dans l'espace, et vit des aventures fantastiques. Elle est Magic Lili !

• Je change le complément du nom
dans la première phrase.

Quel livre Lili découvre-t-elle ?

Où le découvre-t-elle ?

Que contient-il ?

Que va-t-il arriver à Lili ?

Quel nom prendra-t-elle ?

• J'imagine en quelques phrases une nouvelle
aventure de Lili.

On t'a dit que la Reine de Cœur avait fait des tartes ?
Et tu peux me dire ce qui leur est arrivé ?
« Bien sûr que je peux ! À cause de cette chanson :
La Reine de Cœur a fait des tartes
Et un beau jour d'été
Le Valet de Cœur a pris les tartes
Et les a emportées ! »

Oui, c'est bien ce que dit la chanson. Mais il ne faudrait pas punir
ce pauvre Valet simplement parce qu'il est dans une chanson !
Ils l'ont arrêté, ils lui ont mis des menottes et ils l'ont conduit
devant le Roi de Cœur afin qu'il ait un procès équitable.
Si tu regardes la grande image au début du livre, tu verras comment
c'est impressionnant, un procès où le Juge est un Roi !
Le Roi est majestueux, n'est-ce pas ? mais il n'a pas l'air très heureux.
Cette grosse couronne sur sa perruque qui semble très lourde doit le gêner.
Mais il fallait bien qu'il les porte toutes les deux pour qu'on voie qu'il est
le Juge et aussi le Roi. Et la Reine, on dirait qu'elle est en colère,
tu ne trouves pas ? Elle voit sur la table les tartes
qu'elle a eu tant de mal à préparer,
et elle voit le vilain Valet qui les lui
a volées (regarde les menottes) :
on comprend qu'elle soit
plutôt fâchée !
Le Lapin Blanc se tient aux
côtés du Roi, en train de lire
la chanson, pour que tout
le monde sache à quel point
le Valet est vilain :
au Jury (tu ne peux voir que
la Grenouille et le Canard
sur le banc des Jurés) de
le déclarer « coupable » ou
« non coupable ».

Maintenant je vais te raconter l'accident qui est arrivé à Alice.
Elle était assise près du banc des Jurés, quand elle a été citée
comme témoin. Tu sais ce qu'est un témoin ? C'est quelqu'un qui a vu
le prisonnier faire ce qu'il est accusé d'avoir fait, ou alors quelque chose
d'autre qui peut être important pour le procès. Mais Alice n'avait pas vu la
Reine faire les tartes, et elle n'avait pas vu Le Valet les prendre. En fait, elle ne
savait rien du tout ! Alors pourquoi diable voulaient-ils qu'elle témoigne ? Je
suis incapable de te le dire ! Mais c'est bien elle qu'ils voulaient. Alors le Lapin
Blanc a soufflé dans sa grande trompette puis il a crié « Alice ! »
Alors Alice s'est levée à toute vitesse. Et là…
Et là, que s'est-il passé ?
Eh bien, sa jupe s'est accrochée au banc des Jurés, l'a renversé, et tous
les pauvres petits ont dégringolé ! Voyons si nous pouvons reconnaitre
les douze jurés. Tu sais qu'ils doivent être douze pour constituer un Jury.
Je peux voir la Grenouille, le Loir, le Rat et le Furet ; le Hérisson et le Lézard,
le Coq nain, la Taupe, le Canard et l'Écureuil, et un Oiseau hurleur,
avec un long bec, juste derrière la Taupe. Mais ça ne fait que onze.
On doit trouver le douzième.
Oh ! Tu vois la petite tête
blanche qui pointe derrière
la Taupe, juste sous le bec
du Canard ? Le voilà, notre
douzième ! Monsieur Polanco
(celui qui a dessiné les images)
prétend que cet oiseau hurleur
est un Cigogneau (tu sais ce que
c'est bien sûr) ; et que la petite
tête blanche est un Souriceau.
Comme il est rigolo ! Alice les a
tous ramassés en faisant bien
attention, et j'espère qu'ils ne
se sont pas fait mal !

---

1. Comment vois-tu sur l'illustration que la Reine est en colère ?
   Comment vois-tu que le Roi n'a pas l'air très heureux ?

2. Explique avec tes mots ce qu'est un jury, un juré, un témoin.

6 L'imparfait

Je me rappelle

● Pour chaque verbe, je dis s'il est conjugué au passé composé ou à l'imparfait.
Je retrouve son infinitif.

Quand nous sommes partis en promenade, ce matin, il faisait beau, le soleil brillait.
Nous avions des vêtements légers. Mais vers midi des nuages ont caché le soleil
et la pluie a commencé à tomber.

J'observe, je réfléchis, je comprends

1 À l'oral : je cherche les verbes conjugués à l'imparfait.
Je les mets à l'infinitif.

2 Je les recopie dans la colonne de leur infinitif.

infinitif en *-er*	autre infinitif
nous écoutions	il réfléchissait
...	...

Assis à l'entrée du château fort, nous écoutions notre guide.

« Pendant que vous escaladiez la colline, je pensais aux combats d'autrefois.

Pour protéger le château, les soldats utilisaient un grand miroir

qui réfléchissait les rayons du soleil. Ainsi, ils éblouissaient

les ennemis qui montaient à l'assaut. »

Moi, je tenais un grand bâton comme une épée et j'imaginais les batailles.

Le soir, j'ai dit à mon père :

« Les soldats défendaient leur château avec un miroir. Tu le savais ?

Toi aussi tu jouais à être chevalier quand tu étais petit ?

Avec tes copains, vous vouliez attaquer le château ou le défendre ? »

Il m'a répondu : « Pour jouer, nous organisions toujours deux équipes.

Moi, je préférais être dans l'équipe des défenseurs. »

3 J'observe mon tableau : comment les verbes se terminent-ils à l'imparfait ?

– Quelle est la marque de l'imparfait ?

– Quelle est la marque de la personne de conjugaison ?

● **Conjuguer à l'imparfait, c'est facile.**
Les terminaisons sont les mêmes pour tous les verbes.

singulier			pluriel		
je, j'	tu	il, elle	nous	vous	ils, elles
-ais	-ais	-ait	-ions	-iez	-aient

Je reconnais l'imparfait

1. Je recopie les verbes conjugués à l'imparfait.

1. je parle – elle parlait – tu parlais
2. nous applaudissions – ils regardaient
3. vous rougissez – j'agissais – il osait
4. nous réfléchissons – tu grandissais
5. vous récitiez – elles observaient

2. J'écris un pronom sujet qui convient.

> Je me rappelle : la terminaison du verbe change avec le pronom sujet.

… encouragiez – … sautais – … obéissais
… bousculions – … franchissions
… atterrissait – … remplissaient

3. Je recopie les verbes conjugués à l'imparfait avec le pronom qui les commande. J'écris leur infinitif.

> Pour remplacer le sujet par un pronom sujet, je me demande :
> – Le sujet est-il masculin ou féminin ?
> – Est-il au singulier ou au pluriel ?

Les enfants ramassaient des branches et ils bâtissaient une cabane. Marion, la plus petite, donnait du pain aux canards. Les parents marchaient à côté d'elle au bord de la rivière. Petit à petit, le brouillard montait, d'abord légèrement, puis il envahissait les prés. Tout à coup Marion a crié : « Papa ! Maman ! j'ai froid et les arbres ont disparu ! » Les parents ont dit : « Vite, vous abandonnez la cabane, nous ramassons tout et nous retournons à la voiture ! »

4. Je souligne le verbe à l'imparfait. J'entoure la lettre qui fait la différence avec la conjugaison du présent.

1. vous choisissez – vous choisissiez
   nous sautons – nous sautions
2. nous guérissions – nous guérissons
   vous attendez – vous attendiez
3. vous savez – vous saviez
   nous jouons – nous jouions

Je conjugue à l'imparfait

5. J'écris à l'imparfait.

1. Les tyrannosaures (mesurer) 12 à 14 mètres de long. Ils (peser) plusieurs tonnes. Ils (marcher) sur deux pattes et ils (garder) l'équilibre grâce au balancement de leur longue queue, un peu comme un funambule.

2. Les tyrannosaures se (nourrir) d'animaux vivants ou morts. Ils (saisir) leurs proies avec leurs énormes mâchoires aux dents très longues. Tous les cinq à six ans, leurs dents (tomber) et elles (repousser) aussitôt.

6. Je récris le texte à l'imparfait.

Une petite pluie froide tombe depuis le matin. Les voitures ne ralentissent pas. Au contraire, elles roulent à toute vitesse et elles éclaboussent le trottoir. De minute en minute, la file d'attente grandit sous l'abri du bus. Les gens se bousculent : ils cherchent une petite place au sec.

J'écris

Je pense à des gestes, des bêtises, que font les tout-petits et que je ne fais plus. Je les écris sous forme de poème.

Quand nous étions petits…

Je …
Tu …
Il (elle) …
Nous …
Vous …
Ils (elles) …

L'imparfait, c'est du passé !

Oh là là ! Mais que se passe-t-il ?

Qu'est-ce qui arrive à Alice ?

Bon, je vais faire de mon mieux pour tout

te raconter. Voici comment le procès

s'est terminé. Le Roi voulait que le Jury déclare

le Valet de Cœur « coupable » ou « non coupable ». Ce qui veut dire qu'ils

devaient décider si c'est bien lui qui avait volé les tartes, ou quelqu'un d'autre.

Mais la méchante Reine voulait qu'il soit puni d'abord. Tu trouves ça juste ?

Et si le Valet n'avait pas volé les tartes ? Alors, pourquoi le punir dans ce cas ?

Tu aimerais, toi, être punie pour quelque chose que tu n'as pas fait ?

Alors Alice a dit : « C'est n'importe quoi ! »

Alors la Reine a dit : « Qu'on lui coupe la tête ! » (Comme toujours

quand elle est en colère.)

Et Alice a répondu : « Qu'est-ce que ça peut me faire ! Vous n'êtes rien

qu'un paquet de cartes ! »

Ce qui les a toutes mises dans une rage folle. Alors elles se sont envolées

et elles ont dégringolé sur Alice comme une averse.

Tu ne devineras sans doute jamais ce qui s'est passé ensuite.
Alice s'est réveillée de son rêve étrange. Ce qu'elle avait pris
pour des cartes n'étaient que les feuilles des arbres
que le vent avait soufflées sur son visage.
Ce serait merveilleux de faire comme Alice un rêve aussi étrange,
tu ne trouves pas ?
Voilà comment s'y prendre : d'abord, tu t'allonges sous un arbre,
et tu attends qu'un Lapin Blanc passe en courant, une montre à la main.
Et puis tu fermes les yeux, et tu fais semblant d'être la chère petite Alice.
Au revoir, chère Alice, au revoir !

---

1. Pourquoi le Valet de Cœur est-il accusé ?

2. La Reine voulait que le Valet soit puni. À ton avis, comment ?

3. Pourquoi Alice dit-elle : « C'est n'importe quoi ! » ?

4. Tu es Alice. Tu dis à l'auteur laquelle de tes aventures tu as préférée.

6 Un mot, plusieurs sens

Je me rappelle

- Je cherche dans le texte page 72 une phrase exemple pour cette définition.
  rapetisser, verbe : devenir plus petit.

J'observe, je réfléchis, je comprends

1 Ces deux enfants se comprennent-ils bien ? Pourquoi ?

Samedi, maman m'a acheté une glace.

2 Dans cet article de dictionnaire, pourquoi y a-t-il trois numéros ?

3 À quel sens du mot *glace* correspond ce que dit la petite fille ?
À quel sens correspond ce que pense le garçon ?

4 Combien de sens a le mot *bouton* ?
Associe chaque sens à une image.

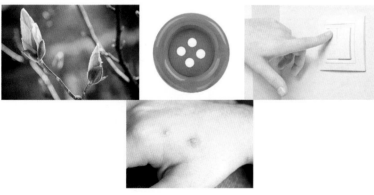

Quel est le sens du mot *bouton* dans la phrase suivante ?
Le bébé a les bras couverts de boutons.
Explique comment tu as trouvé ta réponse.

glace nom féminin
1. Une glace, c'est une plaque de verre dans laquelle on peut se voir. *Emma se regarde dans la glace.* ■ Tu peux dire aussi **miroir**.
2. La glace, c'est de l'eau qui a gelé. *Paul patine sur la glace.*
3. Une glace, c'est une crème très froide. *Damien mange une glace à la framboise.*

bouton nom masculin
1. Un bouton, c'est un petit objet, souvent rond, qui sert à fermer un vêtement. *Florian attache les boutons de sa veste avant de sortir.*
2. Un bouton, c'est un petit objet que l'on pousse ou que l'on tourne pour allumer, éteindre, ouvrir, fermer quelque chose. *Laura appuie sur le bouton de la télécommande.*
3. Un bouton, c'est une petite boule rouge que l'on a sur la peau. *Charles a des boutons parce qu'il a la varicelle.*
4. *Un bouton de rose*, c'est une rose encore fermée.

Le Robert Benjamin, 2015.

Un mot peut avoir plusieurs sens.
Le **contexte**, c'est-à-dire les mots qui l'entourent,
la phrase où il se trouve,
le texte avant ou après,
aide presque toujours à comprendre le sens.
Je peux vérifier avec le dictionnaire.

Je reconnais le sens des mots

1. Le nom *règle* a deux sens. J'associe chaque sens à sa phrase exemple.

règle, nom féminin

1. Instrument qui sert à tracer des traits et à mesurer les longueurs.
2. Texte qui dit ce que l'on doit faire et respecter.

a. *Paul a expliqué la règle du jeu à Suzon.*
b. *Prenez votre règle et soulignez la date.*

2. Le nom *éclair* a deux sens. J'associe chaque sens à sa phrase exemple.

éclair, nom masculin

1. Lumière très vive et très brève.
2. Gâteau long et étroit fourré de crème.

a. *L'orage arrive : j'ai vu un éclair.*
b. *Pour le dessert, il y aura des éclairs.*

J'identifie le sens d'un mot dans son contexte

3. Je remplace le verbe *tirer* par un autre verbe qui fait bien comprendre son sens.

fermer – sortir – tracer

1. Le magicien tire un lapin de son chapeau.
2. Il y a beaucoup de soleil. Je vais tirer les rideaux.
3. Tu tires un trait à la fin de ton exercice.

4. J'écris une phrase exemple pour chaque sens du mot *pièce*.

pièce, nom féminin

1. Petit objet rond et plat en métal, qui sert à payer.
2. Partie d'un appartement ou d'une maison.
3. Histoire jouée au théâtre par des comédiens.

5. Je complète : c'est le même verbe avec deux sens différents.

1. Le maitre ... deux élèves qui se battent.
2. Une grille ... l'école de la rue.

*6. Je complète : c'est le même nom avec quatre sens différents.

1. Dans chaque classe, il y a un ....
2. Un grand ... offert par un artiste orne l'entrée de la mairie.
3. On voit beaucoup d'informations sur le ... de bord d'une voiture.
4. Nous organisons nos observations dans un ....

En mathématiques, on utilise souvent des mots qui ont plusieurs sens.

*7. Je recopie la définition qui correspond à la phrase mathématique.

a. opération
Il y a quatre opérations : l'addition, la soustraction, la multiplication et la division.

1. Ce qui permet de faire un calcul.
2. Action d'opérer, d'ouvrir le corps d'un malade ou d'un blessé pour le soigner.

b. côté
Le carré a quatre côtés égaux.

1. Partie droite ou gauche de quelque chose.
2. Une des lignes droites qui forment le contour d'une figure géométrique.

c. sommet
Il y a trois sommets dans un triangle.

1. L'endroit le plus élevé.
2. Point où deux côtés d'une figure géométrique se coupent.

Je dessine des figures. J'indique sur mon dessin les côtés et les sommets.

Jeu

Avec les lettres d'Alice, écris quatre mots.

Je suis parfois bleu, parfois gris, parfois sombre, parfois noir. ☐☐☐☐
Je suis bien plus grand que la mare, mais bien plus petit que la mer. ☐☐☐
Moi, je suis entourée d'eau. ☐☐☐
Sans moi, tu ne peux pas ouvrir le coffre aux trésors. ☐☐☐

6 s ou ss ?

La lettre s écrit le son /s/	Les lettres ss écrivent le son /s/	La lettre s écrit le son /z/
entre une voyelle et une consonne une pastèque – rester entre une consonne et une voyelle la course – une chanson	entre deux voyelles dessus – assez un passant – une bosse	entre deux voyelles une case – un rosier le plaisir – mesurer

Je me souviens qu'il y a six lettres voyelles : *a*, *e*, *i*, *o*, *u*, *y*.

1. J'entoure les *s* quand ils écrivent le son /s/.

une chemise – une veste – un slip
des sandales – un blouson
des baskets – des chaussettes

2. Je complète les mots avec *s* ou *ss*.
Je les classe.

s écrit le son /z/	s écrit le son /s/	ss écrivent le son /s/
...	...	...

1. la cui...ine – la cui...inière
une ca...erole – une friteu...e
une a...iette – du ...el – des ci...eaux
du per...il – un cou...cou...ier

2. une e...oreu...e à ...alade
un verre me...ureur
le rouleau à pâti...erie

Dans une famille de mots,
le même son s'écrit toujours
de la même façon.

3. Je complète les mots avec *s* ou *ss*.

1. veste : N'oubliez pas de laisser vos chaussures au ve...tiaire.

2. dessin : Nous avons rencontré un de...inateur de bande de...inée. Il nous a expliqué comment il de...ine.

3. blesser : L'accident a fait un ble...é. Mais ses ble...ures ne sont pas graves.

** **4.** Je complète avec *s* ou *ss*.

Histoire du renard et du chat
(adaptée des frères Grimm)

1. Un jour le chat croi...e sur sa route mon...eigneur le renard. Il lui adre...e la parole avec une grande polite...e : « Mes re...pects mon...ieur le Renard, comment vous portez-vous ? »

2. Le renard, in...olent, montre sa surpri...e : « Mi...érable cha...eur de ...ouris, tu o...es me que...tionner, moi le plus ru...é des animaux, moi le plus ...avant ? Ignorant que tu es, quelles sont tes connai...ances ? »

3. Le chat, mode...te, répond qu'il ...ait ju...te une seule cho...e : « Je ...ais échapper aux molo...es en ...autant sur les plus hautes branches des arbres. » Le renard trouve cela ri...ible : « Je t'a...ure que ma sage...e est mille fois plus va...te que la tienne. »

4. Arrive alors un cha...eur avec quatre chiens de cha...e. Le chat s'empre...e d'e...calader le tronc de l'arbre voi...in et de di...paraitre dans le feuillage. Bien in...tallé, tout à son ai...e, il prend le temps de donner ce con...eil moqueur au renard terrori...é : « Vite, faites donc u...age de votre grande sage...e ! Mais quelle tri...te...e que vous ne sachiez pas grimper aux arbres. »

a ou à ? ont ou on ?

<table>
<tr>
<td>

a

est la troisième personne du singulier
du verbe *avoir* au présent.

Notre ville a un théâtre.

Pour ne pas me tromper,
je peux changer le temps de la phrase :

Notre ville aura un théâtre.

</td>
<td>

à

est une préposition.

Le spectacle commence à 8 heures.

Quand je change le temps de
la phrase, à ne change pas :

Le spectacle commencera à 8 heures.

</td>
</tr>
<tr>
<td>

ont

est la troisième personne du pluriel
du verbe *avoir* au présent.

Nos voisins ont une voiture rouge.

Pour ne pas me tromper,
je peux changer le temps de la phrase :

Nos voisins avaient une voiture rouge.

</td>
<td>

on

est toujours le sujet du verbe.

On va au théâtre.

Pour ne pas me tromper,
je peux le remplacer par un pronom
ou par un groupe nominal :

Elle va au théâtre.
La classe va au théâtre.

</td>
</tr>
</table>

1. *a* ou *à* ?

1. Le pain … une belle couleur dorée.
2. Notre boulanger vend des gâteaux … la vanille.
3. Mon grand frère … des chaussures … lacets.
4. La classe va … la piscine … pied.
5. Ma sœur ne peut pas m'accompagner … la piscine. Elle … un travail … terminer.

2. *ont* ou *on* ?

À la bibliothèque, … peut emprunter trois livres à la fois.

Les emprunteurs … quinze jours pour ramener les livres.

Les livres … tous un code-barre.

Les bibliothécaires enregistrent les livres lorsqu'… les emprunte et lorsqu'… les ramène.

À la bibliothèque, … fait silence car les lecteurs … droit à la tranquillité.

3. J'écris les phrases au présent.

1. Inès avait un pull bleu à rayures.
2. On avait envie d'aller à la plage.
3. Cet hiver, les oiseaux avaient froid.
4. À la fin de la journée, les maitresses avaient beaucoup de cahiers à transporter. Elles avaient besoin d'aide. On se précipitait pour les aider.

*4. *a* ou *à* ? *ont* ou *on* ?

… confond parfois les marguerites et les pâquerettes.

Les deux fleurs … beaucoup de pétales blancs autour d'un cœur jaune.

Mais la marguerite … une longue tige. Elle arrive … ton genou. La pâquerette … une tige courte.

La marguerite fleurit … partir de juin. La pâquerette fleurit plus tôt. … trouve des pâquerettes … partir du mois de mars.

6 J'apprends à écrire le début d'un conte

1 Lis le début de ce conte.

Il était une fois un roi qui avait sept filles, toutes très jolies.
Mais la plus jeune était si belle que même le soleil s'émerveillait
chaque fois qu'il lui caressait le visage.
Tout près du château du roi s'étendait une grande forêt et, au cœur de la forêt,
il y avait une fontaine, abritée par un grand tilleul. Quand la journée était bien
chaude, la plus jeune fille du roi avait l'habitude d'aller s'asseoir au bord
de la fontaine pour se rafraichir. Elle emportait toujours une petite balle en or
pour jouer. Elle la lançait en l'air, la rattrapait, recommençait cent fois.
Elle aimait ce jeu plus que tous les autres.
Mais voilà qu'un jour…

Jacob et Wilhelm Grimm, *Le roi grenouille*.

a. Par quels mots commence ce conte ?
Connais-tu d'autres contes qui commencent de la même façon ?

b. Que sais-tu du moment où l'histoire se passe ? des lieux où elle se passe ?

c. Qui est le personnage principal ? Que sais-tu de lui ?

d. Relève les verbes. À quel temps sont-ils conjugués ?

- Au début d'un conte :
  - on découvre **le moment, le lieu** ;
  - on fait connaissance avec **le personnage principal** ;
  - on sait ce qu'il fait au moment où l'histoire va commencer.

2 À partir de cette illustration, imagine le début d'un conte.
Écris à l'imparfait.

Des mots pour commencer :

Il était une fois

Il y a bien longtemps

Autrefois

En ce temps-là

Tu peux aussi commencer
directement ton histoire.
Mais n'oublie pas d'écrire
à l'imparfait !

Expliquer

- Tu cherches un livre à la bibliothèque. Lequel choisis-tu ? _____
  - a. Tu veux faire un exposé sur les animaux en voie de disparition.
  - b. En classe, vous parlez de la sécurité routière. Cela t'intéresse beaucoup.
  - c. Tu aimes les histoires d'animaux.
  - d. Tu veux lire un roman d'aventures.

  Explique les raisons de ton choix.

Pierre BOTTERO
Princesse en danger

Tout avait très bien commencé.
Ma famille d'accueil me plaisait et
j'avais maté le gros dur de la classe.
Et puis, au cours d'une balade en VTT,
Shi-Meï, princesse de Pataman,
a surgi devant moi.
Le miracle a continué. Elle m'a souri.
Mais j'ai le cœur en morceaux car
elle vient d'être enlevée. Il ne me reste
qu'une solution : la délivrer.
À tout prix...

UN PONEY EN DANGER
S.O.S. ANIMAUX/2

Un animal en danger ! Cathy est là pour
lui venir en aide. Sa passion, les animaux ;
son rêve, être vétérinaire comme ses parents.

Aux yeux de Cathy, Susan Collins est une peste qui
n'a qu'une seule qualité : son poney, Prince. Cathy
a pris le bel animal en affection, et s'aperçoit avec
inquiétude que Susan est prête à mettre en péril
la santé de son poney pour gagner un concours
hippique...

Cinq aventures
pour apprendre la prudence !

Les monstromobiles ont envahi Piétonville
et les animaux sont en danger !
À travers les mésaventures
de la fourmi rouge sur son trottoir,
du petit pingouin à vélo,
du poussin et de ses amis
et de la famille Cochon d'Inde en voyage,
les enfants découvrent les dangers
de la rue et des voitures.
Une première initiation drôle, tendre et ludique
à la sécurité en ville, qui s'adresse
aux petits piétons
et aux grands automobilistes.

Chasse, pollution, déforestation, surpêche :
l'impact de l'homme sur l'environnement met chaque jour
les animaux en danger ! Certaines espèces ont disparu,
d'autres sont **en voie d'extinction**... Heureusement,
il existe des solutions pour les protéger et même les sauver.
Pars à la rencontre de ces animaux menacés et **découvre
comment les aider** !

La santé à très petits pas (1)

La santé, c'est quoi ?

Muriel Zürcher, Marion Puech,
La santé à très petits pas
© Actes Sud, 2010.

La santé est le fait d'être bien dans son corps et bien dans sa tête. Pour être en bonne santé, il faut d'abord prendre soin de soi.

Bien manger

Quand on a une alimentation équilibrée, le corps fonctionne sans effort. Il trouve tout ce dont il a besoin en **nutriments** mais aussi en **vitamines**. Il est mieux armé pour lutter contre les maladies.

Avoir une activité physique

Le corps en a besoin pour se muscler, s'oxygéner et dépenser l'énergie que l'on consomme.

Faire du sport permet aussi de se détendre, de mieux dormir et d'augmenter son bien-être.

Dormir

Les enfants ont besoin de beaucoup plus de sommeil que les adultes. Pour passer de bonnes nuits, il faut respecter le rythme naturel du corps : se coucher et se lever à heures régulières.

RÊVER, C'EST BON POUR LA SANTÉ !

La nuit ne sert pas seulement à se reposer mais aussi à rêver. Et les rêves sont importants pour accepter et comprendre ce que l'on a vécu dans la journée.

Quelles sont les maladies les plus courantes ?

Il existe des maladies que tout le monde a eues au moins une fois dans sa vie. Souvent, c'est un virus très contagieux qui en est responsable.

La gastro-entérite

C'est une maladie très fréquente chez les enfants et chez les adultes. On vomit. On n'arrive pas à se retenir d'aller aux toilettes : c'est la **diarrhée**. La gastro est vite guérie mais elle est très fatigante.

Le rhume

En hiver, il est fréquent d'avoir le nez qui coule ou qui se bouche, d'éternuer et parfois d'avoir de la fièvre. C'est le rhume, qu'on appelle également **rhinopharyngite**. Il faut se moucher régulièrement pour éviter les complications comme les otites.

L'otite

C'est une **infection** du tympan, au fond de l'oreille. On ressent comme des piqures douloureuses à l'intérieur de l'oreille. Les otites doivent être soignées avec des antibiotiques : les oreilles non soignées peuvent finir par s'abimer.

LES VÉGÉTATIONS, C'EST QUOI ?

Ce sont de petites formations situées tout au fond des narines. Chez les enfants souvent enrhumés, elles peuvent devenir très grosses quand elles sont infectées. Le médecin propose de les retirer lors d'une petite opération.

7 La phrase : le groupe sujet

Je me rappelle

• Je souligne les compléments du nom. J'encadre les adjectifs qualificatifs.

1. Le jeune médecin du quartier soigne ma famille.

2. Le médecin soigne les familles du quartier.

3. Le grand cartable du médecin contient ses instruments de travail.

J'observe, je réfléchis, je comprends

1 On étend le groupe nominal sujet avec un adjectif qualificatif.
L'accord du verbe avec son sujet change-t-il ?

Le médecin○ examine les élèves.

Le médecin○ scolaire examine les élèves.

On étend le groupe nominal sujet avec un complément du nom.
L'accord du verbe avec son sujet change-t-il ?

Le médecin○ examine les élèves.

Le médecin○ de l'école examine les élèves.

On étend le groupe nominal sujet avec un adjectif qualificatif
et un complément du nom. L'accord du verbe avec son sujet change-t-il ?

L'ambulance○ arrive aux urgences.

La nouvelle ambulance○ de l'hôpital arrive aux urgences.

2 Vérifie tes observations : supprime le complément du nom.
L'accord du verbe avec son sujet change-t-il ?

Deux jeunes infirmières de l'hôpital s'occupent des blessés.

Continue : supprime l'adjectif.
L'accord du verbe avec son sujet change-t-il ?

• **Dans la phrase,** le groupe sujet **c'est le sujet du verbe**
avec toutes ses expansions quand il en a : adjectifs et compléments du nom.
Le groupe sujet répond à la question : *De qui parle-t-on* ? ou *De quoi parle-t-on* ?

 – Une infection donne de la température.
 – Une grave infection donne de la température.
 – Une grave infection des oreilles donne de la température.

• **L'accord du verbe avec son sujet** ne change pas lorsqu'on étend le sujet du verbe.

Je reconnais le groupe sujet

1. J'entoure le sujet du verbe.
Je souligne le groupe sujet.

1. Ma camarade de classe aime la nature.
2. Les plages de sable attirent les vacanciers.
3. Devant la fenêtre, le chat observe le vol des mouches.
4. Les grandes promenades en montagne exigent une bonne préparation.
5. La cuisine pour les fêtes demande beaucoup de travail.
6. Les beaux gâteaux d'anniversaire plaisent à tout le monde.
7. Chaque jour, la cantine de l'école propose des menus variés aux élèves.
8. Le matin, à 7 heures, le marchand de légumes et de fruits ouvre son magasin.

2. Je souligne le groupe sujet.

1. Des touristes du monde entier visitent le château de Versailles.
2. Les châteaux forts du Moyen Âge servaient à défendre le seigneur et les paysans contre leurs ennemis.
3. Les jeunes enfants en vacances font des châteaux de sable.
4. Les châteaux de cartes géants peuvent mesurer plusieurs mètres de haut !

3. Je supprime le complément du nom dans le groupe sujet et je recopie la phrase.

1. Le médecin de notre rue quitte la ville.
2. Le musée des sciences organise des activités pour les jeunes.
3. Les vêtements en caoutchouc protègent de la pluie.
4. Des armées de fourmis ont envahi les pots de fleurs.
5. Un arbre en carton occupe un coin de notre salle de classe.

J'étends le groupe sujet

4. J'étends le groupe sujet avec un adjectif.

1. Cette poupée me fait rêver !
2. Un chien garde la maison des voisins.
3. Des enfants attendent le bus.
4. Cette rue mène à l'hôpital.
5. Des nuages couvrent le ciel.

5. J'étends le groupe sujet avec un complément du nom.
Je choisis parmi ces prépositions :
en, à, sous, près de, de.

1. Le cinéma ouvre à 5 heures.
2. Les voyages coutent cher.
3. La chaise craque de tous les côtés.
4. Le banc peut accueillir cinq enfants.
5. La porte grince.

6. J'étends le groupe sujet avec un complément du nom ou un adjectif.

1. Ces monstres ne réussissent pas à nous faire peur.
2. La maison est fermée.
3. Les accidents arrivent souvent par imprudence.
4. Les magiciennes émerveillent le jeune public.

J'écris

Cette fille joue à faire l'avion.

J'étends le groupe sujet avec un adjectif et un complément du nom.

7 Pourquoi y a-t-il des maladies contagieuses ?

Certaines maladies sont contagieuses
parce que le microbe qui en est responsable voyage.

Certains microbes se promènent dans l'air

On les appelle les **microbes aéroportés**.
Quand on tousse et quand on éternue,
on envoie nos microbes très loin et très
vite. Mais si on met la main devant
la bouche, on protège ceux qui sont
autour de nous.

Les microbes voyagent sur les mains

Avec les mains, on touche tout :
la bouche, le nez, les oreilles,
les aliments, les mouchoirs sales,
la main du copain, etc. Pour
éviter d'attraper ou de transmettre
un microbe, il faut se laver
les mains avec du **savon** :
avant le repas, après être passé
aux toilettes, et beaucoup plus
souvent quand on est malade.

Les règles d'hygiène

Même si on n'est pas malade, il faut respecter des **règles d'hygiène**
pour empêcher les microbes de proliférer : se laver chaque jour,
nettoyer ses mains et ses dents, aérer sa chambre,
conserver les aliments au frais, faire le ménage dans sa maison.

Comment le médecin travaille-t-il ?

Quand on est malade, on consulte un médecin.
Il peut venir à la maison. On peut aussi le rencontrer
dans un cabinet médical ou à l'hôpital.

Le diagnostic

Le médecin commence par rechercher quelle maladie on a :
c'est le diagnostic.
Il procède comme un détective pour trouver tous les indices à l'origine
de la maladie. Ces indices s'appellent les **symptômes**.

L'auscultation

Le médecin ausculte le corps, c'est-à-dire qu'il l'examine, pour chercher
des informations supplémentaires et trouver la maladie. Par exemple,
il peut écouter le cœur et le bruit des poumons avec le **stéthoscope**,
regarder les oreilles, etc.

Le traitement

Quand le médecin a compris quelle maladie s'est installée dans le corps,
il prescrit un traitement : cela peut être des médicaments, du repos,
une rééducation, une opération chirurgicale…

LES EXAMENS Parfois, le médecin demande de faire des
examens complémentaires : une radiographie,
un scanner, une échographie, des analyses
de sang et d'urine.
Certains examens permettent d'écouter le corps
fonctionner, comme l'électrocardiogramme,
qui dessine le bruit du cœur.

7 Le passé composé

Je me rappelle

● Pour chaque verbe, je dis s'il est conjugué au présent, au passé composé ou à l'imparfait. Je retrouve son infinitif.

Bonjour, je m'appelle Julie. Un jour, nous étions en voiture, maman conduisait. Des gros nuages noirs commençaient à cacher le ciel. Le vent était léger mais très vite il a soufflé en tempête. À la radio, un journaliste a signalé des arbres en travers des routes. Alors maman a décidé de nous mettre à l'abri : nous sommes allées dans un centre commercial. Comme nous, beaucoup de personnes ont attendu la fin de la tempête.

J'observe, je réfléchis, je comprends

1 Tous les verbes sont conjugués au passé composé.
Je les cherche. Je dis leur infinitif.
Je recopie les verbes à leur place dans le tableau.
Je recopie aussi les verbes du *Je me rappelle* qui sont au passé composé.

infinitif en *-er*	autre infinitif
il a conseillé	nous avons établi

Pour reprendre des forces après ma maladie, le médecin a conseillé la marche.
Alors, mes parents et moi, nous avons décidé de faire une randonnée en montagne.
Ils ont acheté une carte, nous avons établi l'itinéraire ensemble.
À six heures du matin, papa a frappé à ma porte : « Tu as passé une bonne nuit ? »
J'ai répondu que oui et j'ai demandé : « Vous avez pris votre petit-déjeuner, déjà ?
Vous avez préparé les affaires ? » Papa a ri : « Et toi, hier soir, tu as préparé tes affaires ? »
Maman est descendue dans le garage pour vérifier nos sacs à dos. Papa est allé faire le plein d'essence et, à sept heures, nous sommes partis vers l'aventure.

2 Comment les verbes se construisent-ils au passé composé ?
Je reporte les verbes dans ce tableau.
J'écris le critère de classement en tête de colonne.

...	...
nous avons préparé	elle est descendue

● Un verbe conjugué au passé composé **est composé de deux parties** :
le verbe *être* ou le verbe *avoir* conjugué au présent + le participe passé du verbe.

● Quand le verbe *être* ou le verbe *avoir* aide à conjuguer un verbe au passé composé, on l'appelle un auxiliaire.

● Quand l'infinitif se termine par er, j'entends toujours /e/ à la fin du participe passé.

● À la fin du participe passé des autres verbes, je n'entends jamais /e/.

Je reconnais le passé composé

1. Je recopie les verbes conjugués au passé composé.

1. elle marchait – elle a couru
2. nous avons voulu – nous savions
3. j'ai compris – tu as servi
4. ils sortaient – vous êtes arrivés
5. je pensais – elles réfléchissaient

2. J'écris un pronom sujet qui convient.

1. ... avons cherché – ... as pris
2. ... êtes entrés – ... avez dit
3. ... ai cherché – ... a compris
4. ... a payé – ... est sorti
5. ... sont venus – ... ont voulu

3. Je recopie les verbes conjugués au passé composé avec le pronom qui les commande. J'écris leur infinitif.

Pour remplacer le sujet par un pronom sujet, je me demande :
– Le sujet est-il masculin ou féminin ? J'écris *il* ou *elle*.
– Est-il au singulier ou au pluriel ? Je choisis *il* ou *ils*, *elle* ou *elles*.

Émilie a hésité devant le problème de mathématiques : elle n'était pas sure de son idée. Elle a discuté avec sa voisine. Ainsi les deux élèves ont trouvé la solution.

4. Je recopie les verbes conjugués dans le tableau. J'écris leur infinitif.

infinitif	auxiliaire *avoir*	auxiliaire *être*
...	...	...

nous avons appris – j'ai mangé
vous êtes partis – tu as regardé
ils ont pris – elle a parlé
tu es sorti – elles ont voulu
nous sommes montés

J'écris le passé composé

Au passé composé, les auxiliaires *avoir* et *être* sont conjugués au présent.
Je connais leur conjugaison.

5. Je complète : j'écris l'auxiliaire du passé composé puis l'infinitif du verbe conjugué.

1. Ce matin, Pierre ... pris ses médicaments.
C'est le verbe ...
2. L'ambulance ... passée dans la rue à toute vitesse.
C'est le verbe ...
3. Les infirmiers ... désinfecté les blessures.
C'est le verbe ...
4. Nous ... lu des magazines dans la salle d'attente de l'hôpital.
C'est le verbe ...
5. Vous ... quitté l'hôpital à quelle heure ?
C'est le verbe ...

6. Je complète : j'écris l'auxiliaire du passé composé.

Ce matin, lorsque le facteur ... sonné, j'... su que c'était mon cadeau !
La semaine dernière, quand je ... rentré de l'hôpital, mes copains m' ... envoyé une lettre.

Ils ... écrit :

« Nous ... voulu venir te dire bonjour, mais nous n'avons pas encore le droit, tu ... été trop fatigué par l'opération.
Nous t'enverrons le cadeau de la classe par la poste. »

J'... ouvert le cadeau très vite : c'est un album, et chaque élève ... écrit un petit mot d'amitié.

Alors j'... répondu. J'... écrit : « Merci !
Vous ... été trop gentils, et l'album est vraiment bien ! »

7 Penser autour d'un mot

J'observe, je réfléchis, je comprends

1 Si on te dit *jeu de cartes,* à quoi penses-tu ?

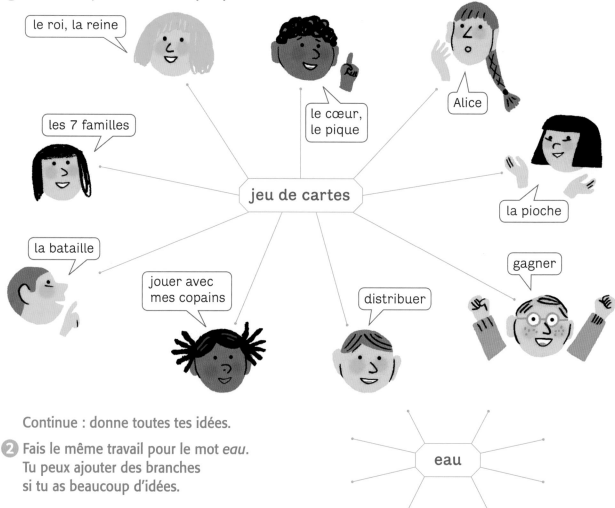

Continue : donne toutes tes idées.

2 Fais le même travail pour le mot *eau.*
Tu peux ajouter des branches
si tu as beaucoup d'idées.

3 Organise ton étoile du sens du mot *eau* et continue-la.
Regroupe tes idées. Utilise ces titres.

- **Un mot peut toujours me faire penser** à beaucoup d'autres mots.
- **L'étoile du sens d'un mot,** c'est l'ensemble des mots auxquels il fait penser.

Je reconnais les mots qui entrent dans une étoile du sens

1. a. Je cherche le mot au centre de l'étoile du sens.

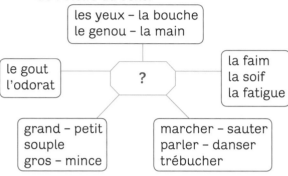

b. Je continue l'étoile du sens.
Je cherche le plus de mots possible.

2. a. Je cherche le mot au centre de l'étoile du sens.

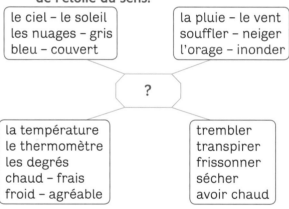

b. Je continue l'étoile du sens.
Je cherche le plus de mots possible.

3. Je cherche le mot au centre de l'étoile du sens. Puis je la complète.

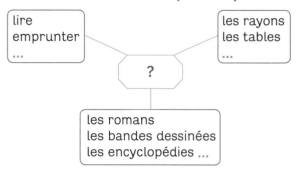

J'organise une étoile du sens

4. Je choisis et j'organise les mots qui font partie de l'étoile du sens.

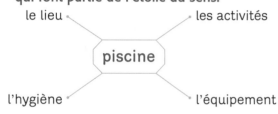

bassin – bonnet – bouée – compétition
douche – éclabousser – maillot – nager
natation – palmes – pédiluve – planche
plonger – plongeoir – sauter – savon
serviette – sport – toboggan – vestiaire

5. Je pense à un mot. Je ne l'écris pas.
  a. Je construis son étoile du sens.
  b. J'échange mon travail avec un camarade.
    Trouve-t-il mon mot ?
    Est-ce que je trouve le sien ?
  c. J'écris mon mot au centre de l'étoile.

Jeu

Complète ce petit poème.
Seul le début du mot change.

L'hiver est une froide s...
Moi, je reste à la m...
Pensez-vous que j'ai r... ?

7 c ou ç ?

La lettre **c** sert à écrire deux sons :
/k/ comme au début de **c**anard et /s/ comme au début de **c**inéma.

c écrit le son /k/	**c** écrit le son /s/	**ç** écrit le son /s/
• devant *a, o, u*	devant *e, i, y*	devant *a, o, u*
un ma**c**aron un **c**on**c**ombre une é**c**urie	la balan**c**e	le fran**ç**ais
• devant **les consonnes**	le **c**irque	une balan**ç**oire
la **c**lasse le **c**rayon	un **c**y**c**liste	dé**ç**u

1. Je classe les mots dans le tableau.

c écrit le son /k/	c ou ç écrit le son /s/
…	…

1. un coq – une bécasse – la cigale
2. le cinéma – la cloche – la façade
3. la façon – une canne – la culture
4. la glycine
   le narcisse
   le camélia – une raiponce

5. bercer – crier – décorer
   coudre – coller – décaler – déplacer

 Dans une famille de mots, le même son s'écrit toujours de la même façon.

2. Je complète les familles de mots.

1. la classe : un …lassement – …lasser
2. la boucle : une bou…lette – bou…ler
3. la place : le pla…ement – pla…er
4. un berceau : une ber…euse – ber…er
5. une conserve : la …onservation …onserver

3. Tous ces noms contiennent le son /s/. Je complète avec c ou ç.

1. un ré…it — une ré…itation
2. une lima…e — un lima…on
3. un la…et — le la…age
4. une le…on — inaper…u

Quand je conjugue, je me demande toujours : **c** ou **ç** ?

4. a. Je conjugue au présent.

commencer : nous … – vous … – elles …
déplacer : je … – tu … – il …
tracer : je … – tu … – nous … – ils …

b. Quand les verbes se terminent par *-cer* à l'infinitif, à quelle personne du présent faut-il écrire un ç ?

5. Quand les verbes se terminent par *-cer* à l'infinitif, à quelles personnes de l'imparfait faut-il écrire un ç ?

remplacer : je … – tu … – il …
avancer : nous … – vous … – elles …
lancer : je … – tu … – elle …
nous … – vous … – ils …

6. Je conjugue les verbes à l'imparfait.

Le jour *(commencer)* à peine. À l'avant du bateau, deux marins *(placer)* les appâts sur les hameçons. Au-dessus d'eux, les mâts *(se balancer)*. Ils *(grincer)* doucement. Les mouettes *(lancer)* des cris perçants. Elles *(annoncer)* le lever du soleil. Sur le quai, un jeune garçon *(dérouler)* des cordages. Il *(grimacer)* car la brise du matin *(glacer)* ses doigts.

es, *est* ou *et* ? *sont* ou *son* ?

je suis

tu es ⟶ je risque de confondre avec et.

il, elle est ⟶ je risque de confondre avec et.

nous sommes

vous êtes

ils, elles sont ⟶ je risque de confondre avec son.

Pour ne pas me tromper :

– Je change le temps de la phrase : je retrouve le verbe.

– Je peux remplacer **et** par **puis**.

– Je sais reconnaitre un déterminant : je peux le remplacer par un autre.

– Si je prononce très bien, **est**, **es** se prononcent /ɛ/, **et** se prononce /e/.

1. *et, es* ou *est* ?

1. La mie du pain ... blanche ... tendre.

2. Une voiture ... bien équipée si on y trouve un gilet de sécurité ... un triangle de signalisation.

3. Le coquelicot ... une fleur qui pousse dans les champs ... sur les talus. C'... une fleur rouge.

4. La rainette ... un animal qui vit dans l'eau ... sur la terre. On dit que c' ... un animal aquatique ... terrestre.

5. Le jour ... à peine levé ... tu ... déjà réveillée. Tu ... bien matinale !

2. *son* ou *sont* ?

1. Les crayons de Julie ... cassés. Mais ... stylo marche encore.

2. Les expériences ... terminées. Chaque élève dessine ... montage électrique sur ... cahier.

3. Pierre a le poignet cassé. Ses deux amis ... d'accord pour porter ... cartable. Ils ... bons camarades.

4. Ma grand-mère a perdu ... chat. Heureusement, ses voisins ... gentils. Ils ont recherché ... animal et ils l'ont retrouvé. Ces voisins ... de vrais détectives !

*3. *et* ou *est* ? *son* ou *sont* ?

1. L'araignée ... un animal qui a huit pattes. ... corps ... composé de deux parties. Ses pattes ... longues ... couvertes de poils très fins.

2. Jean ... ses camarades préparent leur balade à vélo. Ils étudient la carte. Jean ... très attentif, il suit la route avec ... doigt. Dix enfants ... cinq parents : ils ... quinze à partir sur les routes !

*4. *et* ou *est* ? *son* ou *sont* ? Vérifie : quand c'est le verbe, écris-le aussi à l'imparfait dans une parenthèse.

Dame Renarde est (était) à l'abri, ... renardeau aussi.

Le terrier de maitre Renard ... de sa famille ... caché dans les fourrés. Mais nos trois amis ... inquiets. Ils entendent des bruits ... des cris. C'... le vacarme de la chasse ! Pan, pan ... pan ! C'... le bruit du fusil. Ouah, ouah ... ouah ! C'... l'aboiement des chiens. Craac, craac ... craac ! C'... le bruit des feuilles sèches ... des brindilles écrasées par les bottes. Les chasseurs ne ... pas loin.

7 J'écris la suite d'un récit

Cela faisait déjà trois ans, depuis qu'ils allaient à l'école primaire,
que Martin et Martine, les jumeaux, croisaient, sur leur chemin, une impasse.
Ils regardaient, chaque fois, la toute petite maison au fond de cette impasse.
Elle était toujours fermée, au milieu de son jardin envahi par les herbes. Et sur la grille,
un gros panneau : **Défense d'entrer**, excitait leur curiosité.

❶ Retrouve dans ces lignes ce que tu sais sur le début d'une histoire : _____
le moment, le lieu et les personnages.

❷ Imagine maintenant la suite de cette histoire : _____
Tu as compris que les jumeaux vont entrer dans la maison.
C'est le début de l'histoire qui va guider ta recherche.

● **La maison :** l'accès est interdit. Pourquoi ?

> C'est le repaire de brigands...

> Elle risque de s'effondrer...

> Elle est hantée...

Écris sur ton brouillon l'idée que tu choisis.

● **Les jumeaux :** imagine leur caractère.

a. Ils sont curieux mais peureux ?	b. Ils sont hardis mais respectueux des règles ?	c. L'un est hardi, l'autre non ?
Tu expliqueras pourquoi ils pénètrent dans la maison malgré leurs craintes.	Tu expliqueras pourquoi ils pénètrent tout de même dans la maison.	Dans ce cas, prépare-toi à rédiger un dialogue. L'un devra convaincre l'autre.

Écris sur ton brouillon l'idée que tu choisis.

● **Que va-t-il se passer ?**

1. Pense aux évènements qui peuvent se produire. Note beaucoup d'idées au brouillon. Tu choisiras les meilleures après.

2. Choisis les idées que tu retiens et commence ta rédaction au brouillon. Pour commencer, écris un mot ou une expression qui montre qu'il se passe quelque chose, que l'action commence : *Mais ce jour-là – Ce mercredi – Depuis une semaine, les jumeaux ont décidé de…* etc. Écris au passé composé, ou au présent.

3. Développe tes idées. Mets-toi à la place des personnages : écris ce qui se passe, ce qu'ils voient, ce qu'ils ressentent, ce qu'ils se disent, comment ils réagissent… Fais très attention à l'enchainement des moments de ton récit.

4. N'oublie pas de terminer ton histoire.

Catégoriser

• Que font les infirmières et les infirmiers ?
Découvre les différents aspects de ce beau métier.

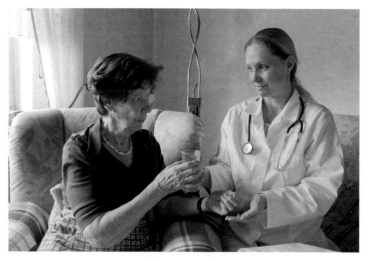

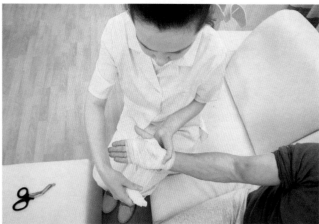

À l'hôpital (1)

François Fontaine, « À l'hôpital », *Des sketches à lire et à jouer*, © Éditions Retz, 2004.

Personnages	Matériel
Le docteur	1 bureau
L'infirmière	2 chaises
Le brulé	1 banc (3 places minimum)
Le coupé	2 blouses blanches
L'empoisonné	1 toque d'infirmière
Le cassé	1 stéthoscope (réel ou non)

Au début de la scène, le docteur sera assis au bureau.

L'infirmière introduira chaque blessé par le côté cour et l'installera

sur la chaise 2, face au public pour que le docteur l'examine et le soigne.

Le docteur pourra alors prendre ou faire mine de prendre le matériel nécessaire

sur le bureau.

L'infirmière quittera la scène côté cour pour aller chercher le patient suivant.

Chaque blessé, une fois soigné, ira s'asseoir sur le banc.

Le docteur quittera également la scène côté cour.

La scène se passe dans une salle de consultation d'hôpital.

LE DOCTEUR *(à l'infirmière qui entre avec le brulé)* : Qu'est-ce qu'il a celui-là ?

L'INFIRMIÈRE *(elle fait asseoir le patient)* : Il s'est brulé.

LE DOCTEUR *(il examine le brulé)* : Comment avez-vous fait pour vous bruler l'oreille ?

LE BRULÉ : J'étais en train de repasser, docteur.

LE DOCTEUR *(sur un ton exagérément théâtral)* : Ah ! le fer à repasser ! Très dangereux quand on ne fait pas attention !

LE BRULÉ : Oh ! je faisais attention, docteur, mais…

LE DOCTEUR : Mais quoi ?

LE BRULÉ : Le téléphone a sonné.

LE DOCTEUR : Et alors ?

LE BRULÉ *(mimant le geste d'appliquer le fer à repasser contre son oreille)* : Alors voilà…

L'INFIRMIÈRE : Ah ! c'est malin ! *(Elle quitte la salle.)*

LE DOCTEUR : Bon, je vous mets
de la pommade pour soigner
votre brulure. *(Il soigne le patient.*
Série de gestes : ouverture d'un tube,
application de la pommade,
fermeture du tube, etc.)
LE BRULÉ *(se relevant et allant*
s'asseoir sur le banc) : Merci docteur.

L'infirmière arrive avec le « coupé » qui se tient la main.

LE DOCTEUR : Et celui-là, qu'est-ce que c'est ?

L'INFIRMIÈRE *(aidant le patient à s'asseoir)* : Une grosse coupure, docteur.

LE DOCTEUR *(il examine la main du patient)* : Ah ça,
pour une coupure, c'est une coupure. Comment avez-vous fait ?

LE COUPÉ : Je sciais du bois, docteur.

LE DOCTEUR *(sur un ton exagérément théâtral)* : Ah ! la scie !
Très dangereux quand on ne fait pas attention !

LE COUPÉ : Oh ! je faisais attention, docteur, mais…

LE DOCTEUR : Mais quoi ?

LE COUPÉ *(il mime les mouvements d'une scie qui dérape)* :
Mais la scie a glissé.

L'INFIRMIÈRE : Ah ! c'est malin ! *(Elle quitte la salle.)*

LE DOCTEUR : Bon, je vais vous recoudre ça. *(Série de gestes :*
enfiler du fil dans une aiguille, faire quelques points, couper le fil, etc.)

LE COUPÉ *(se relevant et allant s'asseoir sur le banc)*
Merci docteur.

8 La phrase affirmative et la phrase négative

Je me rappelle

• Je recopie les phrases. J'entoure les verbes conjugués.

Tous les jours, les médecins reçoivent des enfants victimes d'accidents à la maison.
Ils présentent souvent des coupures ou des brulures graves.
Des dangers se cachent dans toutes les pièces. Nous devons faire attention.

J'observe, je réfléchis, je comprends

Je suis prudent	Je ne suis pas prudent
Je ne cours pas dans les escaliers.	Je cours dans les escaliers.
Je ne joue jamais avec un couteau pointu.	Je joue avec un couteau pointu.
Je ne branche jamais seul un appareil électrique.	Je branche seul un appareil électrique.
Je ne laisse pas trainer mes jouets par terre.	Je laisse trainer mes jouets par terre.
Je ne joue pas avec les allumettes.	Je joue avec les allumettes.
Je demande l'aide d'un adulte pour mettre mon gâteau dans le four.	Je ne demande pas l'aide d'un adulte pour mettre mon gâteau dans le four.
Je ne prends rien dans le placard à pharmacie.	Je prends une boite de médicaments dans le placard à pharmacie.
Je vérifie la température de l'eau avant de me mettre sous la douche.	Je ne vérifie pas la température de l'eau avant de me mettre sous la douche.
Je ne monte jamais sur le rebord de la fenêtre.	Je monte sur le rebord de la fenêtre.

1 Je compare les phrases deux à deux. J'explique tout ce qui change.

2 Je continue la liste : je recopie cette phase à sa place.
J'écris la phrase qui dit le contraire dans l'autre colonne.
Je ferme soigneusement les portes des placards.

3 Je conclus : comment transformer une phrase pour qu'elle dise exactement le contraire ?

• La phrase a deux formes :
  – la forme affirmative. Je range mes jouets.
  – la forme négative. Je ne range pas mes jouets.
La phrase affirmative et la phrase négative disent le contraire l'une de l'autre.
• Pour transformer une phrase affirmative en phrase négative,
  j'encadre le verbe avec deux mots de négation :

ne ... pas, ne ... plus, ne ... jamais, ne ... rien

Je range mes jouets. ↪ Je ne range pas mes jouets.

Je ne range plus mes jouets.

Je ne range jamais mes jouets.

Je ne range rien.

• **Pour transformer une phrase négative en phrase affirmative, j'enlève les mots de négation.**
Je ne range pas mes jouets. Je ne range plus mes jouets. Je ne range jamais mes jouets.

Je reconnais les formes de la phrase

1. Je recopie les phrases négatives.
J'encadre les mots de négation.

La neige est tombée toute la nuit.
Ce matin, on ne peut plus ouvrir la porte
du garage. Les voitures roulent lentement.
Les bus ne circulent pas. Les piétons glissent
sur les trottoirs.

2. Je recopie les phrases affirmatives.

Tu joues avec tes copains. Vous êtes très excités.
Tu ne fais plus attention à ce qui se passe
autour de toi. Tu peux te mettre en danger.

3. Je classe les phrases dans le tableau.

forme affirmative	forme négative
...	...

L'été est très chaud. Les rivières sont sèches.
Il n'y a plus beaucoup d'eau dans les nappes
souterraines. Les gens ne doivent pas laver
leurs voitures. Les agriculteurs arrosent
les jardins et les champs le soir ou la nuit.
Ainsi l'eau ne s'évapore pas trop vite.

Je transforme les phrases

– Quand je parle, j'oublie souvent
de dire *ne* devant le verbe.
Je ne dois pas oublier de l'écrire.
– Devant une voyelle, *ne* devient *n'*.
Je *n'*arrive *jamais* en retard.

4. Je transforme les phrases affirmatives
en phrases négatives.

1. Le bus arrivera avant midi.
2. Hugo parle toujours avec sa voisine.
3. Je prêterai mes crayons à Laura.
4. La porte est fermée.

5. Je transforme les phrases négatives
en phrases affirmatives.

1. La souris de l'ordinateur ne fonctionne plus.
2. Le magasin n'est pas ouvert le lundi.
3. Ce couteau ne coupe pas bien.
4. Émile ne prend pas soin de ses affaires.
Il n'accroche jamais son manteau dans le
couloir. Il ne taille jamais ses crayons. Il ne
rebouche pas ses feutres. Il ne range pas
soigneusement ses cahiers dans son casier.

Non si ripete

*6. Je réponds aux questions avec
une phrase négative.

1. Est-ce que les hiboux dorment la nuit ?
2. Est-ce que les hiboux mangent les feuilles
des arbres ?
3. Est-ce que les hiboux ressemblent
aux chouettes ?
4. Est-ce que les jeunes hiboux savent voler
à la naissance ?

*7. Je transforme une des deux phrases
pour que le texte ait du sens.

1. Tu peux mettre ces jouets dans le coffre.
Il est plein à ras bord.
2. Valentine ne joue plus au handball. Elle
s'entraine tous les mercredis après-midi.
3. Aujourd'hui il pleut. Tu n'as pas besoin
de mettre tes bottes.
4. Le réfrigérateur est réparé. On ne peut
plus conserver les aliments au frais.

J'écris

- J'écris deux phrases négatives pour dire
ce que je n'aime pas faire.
- J'écris deux phrases négatives pour dire
ce que je ne fais jamais.
- J'écris deux phrases pour dire ce que
je faisais avant et que je ne fais plus.
- J'écris :
  – trois phrases qui indiquent ce que je peux
  faire en classe.
  – trois phrases qui indiquent ce que je ne peux
  pas faire en classe.

L'infirmière entre avec l'empoisonné qui se tient le ventre et gémit.

Le docteur : Voilà autre chose. Qu'est-ce que c'est maintenant ?

L'infirmière *(aidant l'empoisonné à s'asseoir)* :
Il s'est empoisonné, docteur.

Le docteur *(examinant l'empoisonné)* : Je vois ça,
vous avez la langue toute blanche. Qu'avez-vous avalé ?

L'empoisonné : De la peinture, docteur.

Le docteur *(sur un ton exagérément théâtral)* : Ah ! la peinture !
Très dangereux quand on ne fait pas attention !

L'empoisonné : Oh ! je faisais attention, docteur, mais…

Le docteur : Mais quoi ?

L'empoisonné : La peinture était dans une bouteille et j'ai cru que c'était du lait.

L'infirmière : Ah ! c'est malin ! *(Elle quitte la salle.)*

Le docteur : Bon, je vais vous laver l'estomac. *(Série de gestes :
faire basculer la tête du patient en arrière, lui ouvrir la bouche,
enfiler un tube dedans, etc.)*

L'empoisonné *(se relevant et allant s'asseoir sur le banc)* :
Merci docteur.

L'infirmière arrive en soutenant le « cassé » qui saute à cloche-pied.

Le docteur : Mais ça n'arrête pas aujourd'hui !
Qu'est-ce qu'il s'est fait celui-là ?
L'infirmière *(aidant le cassé à s'asseoir)* : Il s'est cassé la jambe, docteur.
Le docteur *(examinant la jambe du patient)* : En effet,
voilà une belle fracture. Comment vous êtes-vous débrouillé ?
Le cassé : J'étais monté sur mon échelle, docteur.
Le docteur *(sur un ton exagérément théâtral)* : Ah ! l'échelle !
Très dangereux quand on ne fait pas attention !
Le cassé : Oh ! je faisais attention, docteur, mais…
Le docteur : Mais quoi ?
Le cassé : Un barreau a cassé.
L'infirmière : Ah ! c'est malin !
Le docteur : Bon, je vais chercher de quoi vous plâtrer ça.

*Il sort par le côté de la scène. Dès qu'il a disparu on entend le hurlement
de quelqu'un qui tombe de très haut.*
L'infirmière se précipite pour aller voir et revient aussitôt, complètement affolée.

L'infirmière : C'est horrible ! Le docteur est tombé dans la cage de l'ascenseur !
Le brulé, le coupé, l'empoisonné et **le cassé** *(ensemble)*
Ah ! l'ascenseur ! Très dangereux quand on ne fait pas attention !
L'infirmière : Ah ! c'est malin !

8 Le passé composé des verbes
être, avoir, aller, venir

• Pour chaque verbe, je dis s'il est conjugué au présent, au passé composé
ou à l'imparfait. Je retrouve son infinitif.

Les acrobates tiennent en équilibre sur un ballon ou sur un fil. Ils ont travaillé longtemps
pour y arriver. Ils sont tombés plus d'une fois. Mais ils aimaient ce métier difficile
et ils recommençaient sans se décourager.

J'observe, je réfléchis, je comprends

1 Je dis ces phrases au passé composé. Je reporte les verbes dans les tableaux.

1. Je suis enrhumée, j'ai de la fièvre, je vais chez le médecin. Maman vient avec moi.
2. Thomas va chercher des outils au garage. Il a besoin d'aide. Tu vas l'aider.
   Deux copains viennent aussi.
3. Nous avons le prix de mathématiques de la région. Nous sommes sélectionnés pour
   la finale du championnat. Toute l'école est fière de nous. Nous allons à Paris.
   Le directeur de l'école vient avec nous.
4. Vous allez au bout de la course. Vous avez du mal, mais vous êtes courageuses.
5. Tu viens ramasser des fruits avec moi. Tu as envie de mordre dans une belle pomme rouge.

avoir	être
j' …	j' …
tu …	tu as été
il …	il a été
elle a eu	elle …
nous …	nous …
vous …	vous …
ils ont eu	ils ont été
elles ont eu	elles ont été

aller	aller	venir	venir
je suis allé	je …	je suis venu	je suis venue
tu …	tu es allée	tu …	tu es venue
il …	elle est allée	il …	elle …
nous …	nous sommes allées	nous sommes venus	nous sommes venues
vous êtes allés	vous …	vous êtes venus	vous êtes venues
ils sont allés	elles sont allées	ils …	elles sont venues

2 Quel est le participe passé du verbe *être* ? du verbe *avoir* ? du verbe *aller* ? du verbe *venir* ?

3 Avec quel auxiliaire conjugue-t-on le verbe *être* ? le verbe *avoir* ? le verbe *aller* ? le verbe *venir* ?

4 Il y a deux conjugaisons du passé composé pour *aller* et *venir*. Pourquoi ?

• **Au passé composé,** les verbes *être, avoir, aller, venir* se conjuguent comme les autres verbes.
• **Aller** et **venir** se conjuguent avec l'auxiliaire *être*.
  Il y a deux conjugaisons, une pour le masculin, une pour le féminin.

À suivre...

Je reconnais les verbes conjugués au passé composé

1. Je recopie les verbes conjugués au passé composé. J'écris leur infinitif.

tu étais – nous sommes venus – je vais elles sont allées – tu as eu – je suis vous avez été – il avait – ils ont été

2. J'écris le pronom sujet qui convient.

1. ... avons été – ... es allé
2. ... êtes venues – ... ai eu
3. ... sont allées – ... avons eu
4. ... est venu – ... avez été
5. ... sont venus – ... as eu

Je conjugue au passé composé

3. Je conjugue au passé composé.

1. ils *(avoir)* – nous *(aller)* – tu *(être)*
2. tu *(aller)* – vous *(avoir)* – il *(venir)*
3. vous *(être)* – je *(venir)* – elles *(aller)*
4. j'*(être)* – tu *(avoir)* – elle *(venir)*

4. Je conjugue au passé composé.

1. Nous *(avoir)* froid quand nous *(aller)* nous promener en forêt.
2. Souhaïl *(avoir)* un petit chien pour son anniversaire. Il *(être)* très content.
3. Ce matin, mes amies *(venir)* à l'école en vélo.
4. Le papa de Simon *(venir)* dans notre classe au début du mois de février. La semaine suivante, nous *(aller)* visiter son atelier de menuiserie.
5. Nos parents *(venir)* voir notre exposition. Ils *(être)* fiers de notre travail.

5. Je récris les phrases au passé composé.

1. Les petits enfants vont au lit de bonne heure.
2. Nos correspondants viennent nous voir. Nous avons un temps splendide.
3. Rémi est malade sur le manège. Il a un peu mal au cœur.

*6. *être* ou *avoir* ? Je choisis et je conjugue au passé composé.

1. Le voyage ... très long. Nous ... beaucoup de pluie et de vent sur la route.
2. Vous ... très gentils de nous inviter. Hugo ... content de passer la journée avec Mario.
3. Cet hiver, beaucoup de personnes ... la grippe. Elles ... très malades.
4. Nous ... des nouvelles de Mélanie. Elle ... triste de quitter l'école.
5. Tu ... très peur ! C'est normal, tu ... très imprudent.

*7. *être* ou *aller* ? Je choisis et je conjugue au passé composé.

1. Nous ... rendre visite à Madame Émilie. Elle nous a dit : j'... maitresse d'école pendant trente ans. Vos parents ... mes élèves.
2. Nous ... très nombreux à participer au concours de poésie. Notre classe ... la première. Nous ... recevoir le prix à la mairie.

Pour aller plus loin

● **Je raconte. J'utilise le passé composé.**

● **J'invente la suite de l'aventure.**

8 Les synonymes

Je me rappelle

• Je classe ces mots dans le tableau.

monter – un tas – le caillou – gros – durer
un œuf – long – vert – le moulin – espérer

noms	verbes	adjectifs
...	...	...

J'observe, je réfléchis, je comprends

1 Remplace les mots en couleur par les mots encadrés et retrouve le texte d'origine.
Explique comment tu choisis les mots.

Jusqu'à la semaine dernière, Damien et moi, on se querellait
tout le temps. Damien ne manquait pas une occasion de me dire :
– Thomas, tu ressembles à un gosse de maternelle !
Et moi, je lui répondais :
– Et toi à un fil de fer...
Maman tolérait mal nos querelles.
Un soir, je me rappelle, nous regardions un western en famille.
Comme d'habitude, Damien et moi, nous avons passé notre temps
à nous envoyer des coussins à la figure. À la fin du film, Maman
a soupiré en nous regardant :
– Vous avez vu, les Indiens ont fini par enfouir la hache de guerre...
Ça serait bien si vous faisiez la même chose.
J'ai ronchonné :
– C'est simple de faire la paix quand on ne vit pas dans la même tribu !
Damien a ajouté :
– Moi, grand chef sioux, jamais faire la paix avec Thomas, bison idiot !
J'ai soulevé les épaules d'un air dédaigneux. À cet instant, j'étais sûr que rien, vraiment rien,
ne pourrait arrêter une guerre comme celle-là.

certain
disputes
se disputait
enterrer
j'ai grogné
j'ai haussé
je m'en souviens
lancer
méprisant
un môme
ratait
stupide
supportait

© Bayard Presse, *Le sac de sport*, paru dans « J'Aime Lire » n° 253
(Bayard Presse Jeunesse), Geneviève Noël, 1997.

2 Classe sur la même ligne du tableau
le mot en couleur et celui qu'il remplace.
Que remarques-tu ?

mot encadré	mot en couleur	nature du mot
...	...	...

3 Dans ces articles de dictionnaire, où trouves-tu les mots
qui ont le même sens que les mots définis ?
Ils sont précédés d'une abréviation : laquelle ?

dispute (nom féminin)
Discussion violente. *Leur conversation s'est terminée par une **dispute**.* (Syn. querelle.)

méprisant, ante (adjectif)
Qui témoigne du mépris. *Marion lui a lancé un regard **méprisant**.* (Syn. dédaigneux, hautain.)

se souvenir (verbe) ▶ conjug. n° 19
Garder dans sa mémoire. *David **se souvient** de son ancienne école.* (Syn. se rappeler.)

Dictionnaire Hachette Junior, © Hachette Livre, 2014.

Les mots qui ont le même sens ou presque le même sens s'appellent des synonymes.
Le synonyme d'un nom est un nom.
Le synonyme d'un verbe est un verbe.
Le synonyme d'un adjectif est un adjectif.

Je reconnais les synonymes

1. Je recopie les synonymes deux par deux.

> construire – effrayant – habit
> logement – solide – voiture

> automobile – bâtir – habitation – horrible
> résistant – vêtement

2. Je recopie le mot en bleu et son synonyme.

1. **joli** : bon – regarder – beau – visage

2. **commander** : commandant – ordonner restaurant – cadeau – obéir

3. **imaginer** : bande dessinée – image voir – inventer – incroyable

3. Je recopie la phrase : je remplace le mot en couleur par son synonyme. Je n'oublie pas d'accorder.

> début – étonné – bizarre – figure
> geste – imprécis – plein – problème
> remporter – terminer

1. Léna a été très surprise de rencontrer, en vacances, un camarade de sa classe.

2. Notre équipe n'était pas sure de gagner ce match.

3. J'espère finir mon puzzle demain.

4. Tes explications sont trop vagues. On ne comprend pas.

5. Le parking est complet. Il n'y a plus une place libre.

6. Je n'ai pas bien compris le film. J'ai raté le commencement.

7. Lucas a un visage rond et souriant.

8. À la piscine, nous apprenons les mouvements de la brasse.

9. Les inondations ont provoqué beaucoup de difficultés de circulation.

10. Les inventeurs fabriquent parfois toutes sortes d'objets étranges.

J'utilise les synonymes

4. Lorsqu'un mot a plusieurs sens, il a souvent plusieurs synonymes. Je remplace le verbe *abriter* par le synonyme qui convient.

abriter (verbe) ▸ conjug. n° 3
1. Mettre à l'abri. *Viens t'abriter sous mon parapluie !* (Syn. protéger.) **2.** Recevoir comme occupant. *Cet hôtel peut abriter soixante personnes.* (Syn. accueillir, héberger, loger.)

Dictionnaire Hachette Junior, © Hachette Livre, 2014.

1. Venez sous ce parasol. Il vous abritera du soleil.

2. Notre chien est bizarre : il accepte d'abriter le chat dans sa niche !

5. Dans chaque phrase, je remplace le verbe *descendre* par le synonyme qui convient.

| baisser | débarquer | se retirer | tomber |

1. En hiver, la nuit descend très tôt.

2. Les passagers descendent de l'avion.

3. En ce moment, la mer descend.

4. Habillez-vous bien. À partir de demain, la température descend.

*6. Je remplace le mot en couleur par un synonyme. Je peux m'aider du dictionnaire.

1. Il est interdit de courir dans les couloirs.

2. Nos deux ballons sont pareils. J'écris mon nom sur le mien.

3. Je prépare un bref exposé sur les grenouilles.

4. Les volontaires qui ont lutté contre le feu de forêt ont été félicités pour leur bravoure.

5. Le téléphone portable au volant est souvent l'origine des accidents.

8 Comment s'écrit le participe passé ?

- Quand l'infinitif du verbe se termine par **er**, j'entends toujours /e/ à la fin du participe passé.
- À la fin du participe passé des autres verbes, je n'entends jamais /e/.

1. Je recopie deux par deux l'infinitif et le participe passé des verbes.

> demandé – cherché – gardé – passé
> quitté – oublié – partagé – salué – hésité

> chercher – demander – hésiter – partager
> garder – oublier – passer – quitter – saluer

2. Je cherche le verbe conjugué. Je souligne le participe passé, puis j'écris l'infinitif du verbe.

1. Elle a raconté une histoire.
2. Nous avons suivi les flèches.
3. Simon a perdu sa gomme.
4. Tu es parti trop tard.
5. Amina a oublié ses lunettes à l'école.
6. Il a écrit au tableau.
7. Est-ce que tu as fait ton travail ?
8. J'ai attendu le bus.
9. Le vent a cassé des branches.
10. Vous avez fini votre exercice.

3. Je classe les verbes.

infinitif en *-er*		autres verbes	
infinitif	participe passé	infinitif	participe passé
...	...	entendre	entendu

nous avons entendu – tu as imaginé
ils ont ri – elle a pris – j'ai rêvé
vous avez découvert – il a choisi
tu as refusé – j'ai reconnu
elle a conduit – nous avons réussi

4. Je continue le tableau :
a. avec les verbes de l'exercice 2.
b. avec quatre autres verbes que je connais.

é ou **er** ?
Je me demande : est-ce que c'est un verbe conjugué au passé composé ?
– Oui : j'écris **é**.
– Non : j'écris **er**.

5. J'écris la forme du verbe qui convient.

regardé – regarder
1. Léo a ... un dessin animé.
2. Léo veut ... un dessin animé.

joué – jouer
3. Notre classe décide de ... une pièce de théâtre.
4. Notre classe a ... une pièce de théâtre.

attaché – attacher
5. Alice a besoin d'une barrette pour ... ses cheveux.
6. Alice a ... ses cheveux avec une barrette.

6. J'écris la forme du verbe qui convient.

compté – compter
On ne peut pas ... les étoiles.
apporté – apporter
Max a ... un livre sur la mer à l'école.
respecté – respecter
Les joueurs doivent ... les décisions de l'arbitre.
ramassé – ramasser
Deux élèves ont ... les cahiers.

7. Je complète avec **er** ou **é**.

1. La vendeuse a envelopp... la boite dans un papier cadeau.
2. Le directeur a annonc... la visite médicale. Tous les élèves doivent apport... leur carnet de santé.
3. Est-ce que tu peux me prêt... ta gomme ? J'ai oubli... la mienne.

Comment le verbe s'accorde-t-il avec son sujet au passé composé ?

- **Au passé composé,** l'auxiliaire s'accorde toujours avec le sujet du verbe.
- **Avec l'auxiliaire** être, le participe passé s'accorde toujours avec le sujet du verbe, exactement comme un adjectif.

Le train | est arrivé. – La pluie | est arrivée.

Mes amis | sont arrivés. – Les hirondelles | sont arrivées.

- **Avec l'auxiliaire** avoir, le participe passé ne s'accorde jamais avec le sujet du verbe.

La chorale | a chanté. – Un oiseau | a chanté. – Nous avons chanté.

Je me demande : avec quel auxiliaire le passé composé est-il conjugué ?
- **Si c'est l'auxiliaire** *avoir*, il y a un seul accord : l'auxiliaire avec le sujet.
- **Si c'est l'auxiliaire** *être*, j'accorde d'abord l'auxiliaire avec le sujet.

Pour accorder le participe passé, je me demande :
- Est-ce que le sujet est *masculin* ou *féminin*?
- Est-ce que le sujet est au *singulier* ou au *pluriel*?

---

1. J'écris les formes du passé composé
a. **avec** *il, elle* ; b. **avec** *ils, elles.*

venir – sortir – partir – descendre

2. Je change le sujet et je récris les phrases.
1. Vincent a regardé un film sur les voiliers. Mathilde …
2. Le lapin est sorti de son terrier. La marmotte …
3. Ma copine a été malade. Elle a eu la varicelle. Elle est restée au lit quatre jours. Mon copain …
4. J'ai fini l'exercice. Toute la classe …

3. Je mets le sujet au pluriel et je recopie.
1. Un élève a répété la consigne.
2. Un groupe a cherché les définitions des mots difficiles dans le dictionnaire.
3. Ma voisine est passée au tableau.
4. Elle a expliqué notre recherche.
5. Elle est restée en face de la classe pour répondre aux questions.

4. Je récris la phrase avec ces verbes :

illustrer   réciter   écrire   enregistrer

Nos correspondants ont envoyé des poésies.

*5. Je récris la phrase avec ces verbes :

aller   rester   partir   arriver   venir

Ma famille a habité à Paris.

*6. Je conjugue les verbes entre parenthèses au passé composé.

En 2010, un volcan islandais (entrer) en éruption. La glace (fondre) brutalement. Des inondations (envahir) les routes et les villages. Le volcan (cracher) un énorme panache de cendres et de vapeur d'eau. Ce nuage (empêcher) le transport aérien dans toute l'Europe. Les avions (rester) au sol pendant plusieurs jours.

8 J'écris une quatrième de couverture

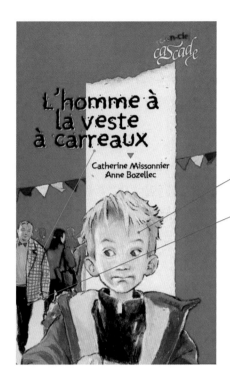

Comment écrire une quatrième de couverture pour donner envie de lire le livre ?

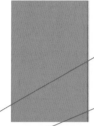

Clément va faire les courses seul car son papa est malade. Mais quelqu'un le suit de magasin en magasin. Comment lui échapper ?

1 Explique les liens entre la première de couverture, l'illustration et la quatrième de couverture.

a. Qu'apprends-tu dans la première phrase ? À quelle partie de l'histoire cette phrase correspond-elle ?

b. Qu'apprends-tu dans la deuxième phrase ? Pourquoi commence-t-elle par *Mais* ? À quelle partie de l'histoire correspond-elle ?

c. Comment ce texte se termine-t-il ? Pourquoi ?

2 Choisis un de ces livres.

Avec le titre et le dessin de couverture, imagine une histoire.
Écris la quatrième de couverture.
Elle doit donner envie de lire l'histoire que tu as imaginée.

Conseiller et justifier

- Dans chaque pièce de la maison, quels sont les objets, _____
  les situations qui présentent un danger ?

- Je dis en quoi consistent les dangers, quels sont les risques. _____
  Je donne des conseils pour éviter les dangers.

Dans la cuisine

Dans la salle de bains

Dans le salon

La Soupe au Clou (1)

Éric Maddern, Paul Hess, *La Soupe au Clou*,
© Frances Lincoln Children's Books pour
le texte anglais, © Casterman Jeunesse
pour la traduction française de Rémi Stéfani.

Il y a bien longtemps de cela, un vagabond cheminait à travers la forêt. La nuit allait bientôt tomber et des flocons de neige commençaient à voltiger parmi les branches dénudées des arbres.

« Où vais-je dormir ce soir ? se demanda-t-il. Faudra-t-il encore que je m'enroule dans mon manteau et que je me blottisse au creux d'un arbre, ou bien trouverai-je un lit quelque part ? »

C'est alors qu'à un tournant du sentier, il aperçut une petite chaumière. Dans l'obscurité naissante, il vit qu'une lumière brillait à la fenêtre. Il pensa : « Peut-être qu'un bon lit m'attend ici. »

Il s'approcha. Soudain, la porte de la chaumière s'ouvrit et une large et forte femme apparut. L'air renfrogné, elle planta ses poings sur les hanches et s'adressa à lui :
– Qui êtes-vous ? Où allez-vous ainsi ? Et que faites-vous ici ?

- **un vagabond** : une personne qui n'a ni maison, ni travail et qui va d'un endroit à un autre.
- **cheminer** : faire un long voyage à pied en passant par les chemins.
- **l'air renfrogné** : le visage fermé, l'air mécontent.
- **pleurnicher** : parler comme si on pleurait pour demander quelque chose.
- **grommeler** : manifester son mécontentement en parlant entre ses dents.

– Eh bien, répondit l'homme, je suis un simple voyageur. J'ai parcouru le monde, et maintenant que je suis allé partout, je retourne chez moi.

– Je vois, fit la femme, mais que cherchez-vous ici ?

– À vrai dire, je me demandais si par chance, il n'y aurait pas un lit pour moi, cette nuit.

– Tiens donc ! rétorqua la femme, c'est bien ce que je pensais. Mais mon mari n'est pas là et cet endroit n'est pas une auberge. Alors vous feriez bien de passer votre chemin !

Notre voyageur n'était pas homme à abandonner aussi vite. Il pleurnicha un peu et supplia beaucoup, comme un chien affamé. À la fin, elle céda :

– Bon, d'accord, grommela-t-elle, vous pouvez dormir par terre près du feu, mais ne venez pas me demander quelque chose de plus !

– Oh, non, répondit le vagabond :
Mieux vaut sur le plancher le dos se casser
Que dans la forêt les os se geler.
Car notre ami était un joyeux compagnon, toujours prompt à faire de la vie une chanson.

Le vagabond se réchauffa auprès du feu et regarda autour de lui. Elle n'était pas riche, certes, mais elle n'avait pas l'air pauvre non plus. Il finit par oser :

– Vous n'auriez pas un petit morceau à manger, par hasard ?

– Regardez, fit-elle. Il n'y a rien ici. Moi-même, je n'ai rien mangé de la journée.

– Dans ce cas, répondit-il, c'est moi qui partagerai avec vous ce que j'ai.

– Pardon ? Comment quelqu'un comme vous aurait quelque chose à partager avec moi ?

Il faut faire le tour de la terre
Pour en connaitre les mystères
Et c'est ainsi que j'ai appris
Ce qui ouvre les yeux et l'esprit.

– Donnez-moi une marmite, bonne mère !

Étonnée, elle lui tendit un vieux chaudron, tout noirci.

Il le remplit d'eau, le plaça sur le feu et souffla sur les braises.

1. Quand se passe cette histoire ? Où se passe-t-elle ?

2. Dis tout ce que tu sais des personnages.

3. Que penses-tu de la femme ?

4. Avec un camarade ou une camarade, joue la rencontre entre la femme et le vagabond.

9 Le groupe verbal : le verbe et ses compléments

Je me rappelle

• J'entoure les verbes conjugués. Je souligne les sujets.

Au détour d'un sentier, le vagabond a aperçu une petite chaumière. Il a vu une lumière à la fenêtre. Il a marché vers la maison. Une large et forte femme a ouvert la porte. Elle avait l'air renfrogné. Elle n'était pas accueillante.

J'observe, je réfléchis, je comprends

1 Je continue les phrases avec un groupe nominal.

a. Le vagabond remplit ...

Lina remplit ...

Paul remplit ...

b. Madame Leblanc parle ...

Léo parle ...

Marie parle ...

2 Je continue les phrases d'abord avec un groupe nominal, puis avec deux groupes nominaux.

1. Léonie demande ...   **2.** Le facteur apporte ...   **3.** Simon partage ...

3 J'observe les groupes de mots que j'ai ajoutés dans les activités 1 et 2.
a. Où sont-ils placés dans la phrase ?
b. Quel mot précisent-ils ?

On peut préciser le verbe avec des groupes nominaux.
• **Le groupe nominal qui précise le verbe s'appelle** le complément du verbe. Il suit le verbe.
• Dans la phrase, **le verbe et ses compléments forment** le groupe verbal.
Je sais déjà que le groupe sujet répond à la question *De qui ou de quoi parle-t-on ?*
Le groupe verbal répond à la question *Qu'est-ce qu'on en dit ?*

Je reconnais le groupe verbal

1. J'entoure le verbe,
je souligne le groupe verbal.

Un vagabond traverse la forêt.

Il aperçoit une petite chaumière.

Il rêve d'un bon lit.

Une large et forte femme ouvre la porte.

Elle s'adresse au vagabond.

2. J'entoure le verbe,
je souligne le groupe verbal.

La femme tend un vieux chaudron tout noirci au vagabond.

L'homme remplit le chaudron avec de l'eau.

Puis il met le chaudron sur le feu.

Il souffle sur les braises.

Je reconnais les compléments du verbe

3. J'entoure le verbe,
je souligne son complément.

1. Dans la bibliothèque de la classe, plusieurs livres parlent de la protection de la nature.
2. Alexis s'intéresse aux animaux.
3. Sabine emprunte un livre sur la forêt.
4. Lucien prépare un exposé sur le recyclage des déchets.
5. La protection de la nature dépend de nos efforts.

4. J'entoure le verbe,
je souligne ses deux compléments
de deux couleurs différentes.

La bibliothécaire présente les nouveaux livres aux élèves.

Puis elle donne un conseil à Lina.

Je complète le verbe

5. Je continue les phrases.

1. Tous les matins, je prends …
2. L'avion survole …
3. Le détective observe …
4. Les déménageurs emportent …
5. Le jardinier ramasse …
6. Ce livre appartient …
7. Le jardinier s'occupe …
8. Demain, vous préparerez …
9. Les pirates s'emparent …
10. Le bébé sourit …

6. Je recopie les compléments du verbe
à leur place dans le texte.

| une fourrure très épaisse | son bébé |

| la poche de sa mère |

| à un petit ours | de son petit |

| les feuilles des eucalyptus |

Le koala ressemble …. Il possède ….
Il mange …. La mère koala porte … dans
une poche. Le bébé quitte … à l'âge
de cinq mois. Mais la mère s'occupe …
jusqu'à ce qu'il ait un an.

J'écris

J'imagine que je me promène dans l'un de ces endroits. Pour dire ce que je ressens, je complète les verbes.

Je vois … – J'entends … – Je sens … – Je touche … – Je pense … – Je me souviens …

Comme l'eau commençait à frémir, il enfonça la main dans sa poche et en sortit un vieux clou, tout rouillé. Il le fit tourner entre ses doigts, <u>marmonnant</u> des mots dans sa barbe, puis il le jeta, *plouf*!, dans le chaudron.

– Que faites-vous là ? interrogea la femme.

– Je vais vous faire… une soupe au clou.

– Une soupe au clou ! s'exclama-t-elle. Eh bien, voilà une recette utile à apprendre. Elle se <u>planta</u> devant la marmite, <u>les yeux ronds comme des soucoupes</u>, et elle l'observa remuer le clou dans les bouillons.

Après quelques instants, le vagabond lui dit :

– Vous voyez, le problème est que j'ai utilisé ce clou toute la semaine. Alors, bien sûr, il est devenu un peu maigrichon. Quel dommage que nous n'ayons pas une bonne poignée de farine, parce que – tout amateur de soupe vous le dirait – celle-ci deviendrait délicieuse !

Mais puisque nous devons faire sans,
À quoi bon se ronger les sangs !

- marmonner : parler à voix très basse entre ses dents.
- se planter : se tenir debout et rester immobile.
- les yeux ronds comme des soucoupes : les yeux grands ouverts d'étonnement.
- à souhait : aussi bien qu'on peut le souhaiter.
- se ronger les sangs : se faire beaucoup de souci.

En fait, dit la femme, je me demande s'il ne me reste pas un peu de farine quelque part.

Et elle en rapporta un petit sac qu'elle lui tendit. Il en versa une généreuse poignée dans la marmite. C'était une belle farine, fine et légère à souhait.

Il remua et remua encore, et la soupe commença à épaissir.

– Vous savez, ajouta le vagabond, quel dommage que nous n'ayons pas quelques pommes de terre et une bonne livre de bœuf salé, car cette soupe aurait surement fait le régal des seigneurs de la région !

Mais puisque nous devons faire sans,
À quoi bon se ronger les sangs !

La femme songea alors : « Je dois bien avoir quelques pommes de terre dans le jardin. » Elle sortit et en déterra quelques-unes. Elle les lava, les pela, les coupa et les envoya rejoindre le clou. Puis elle alla fouiller dans son garde-manger, d'où elle rapporta une livre de bœuf salé qui, lui aussi, finit dans le bouillon. Et tandis qu'il tournait et tournait la cuiller dans la marmite, elle se disait :

« N'est-ce pas incroyable ? Il fait une soupe avec un clou ! »

Maintenant une merveilleuse odeur envahissait la cuisine.

– Laissez-moi vous dire une chose, commença le vagabond, j'ai un jour travaillé pour le cuisinier de notre souverain et je sais comment le roi et la reine adorent leur soupe. Exactement comme ça ! Enfin, sauf qu'ils exigent qu'on y ajoute un peu de lait et d'orge, du sel, du poivre et quelques herbes…

Mais puisque nous devons faire sans,
À quoi bon se ronger les sangs !

La femme pensa : « Comme le roi et la reine, ça alors ! »

Elle ressortit, alla traire la chèvre, fit un bouquet garni de quelques herbes, apporta le sel, le poivre et ajouta le tout à la soupe. Et tandis qu'il continuait à tourner, l'odeur de la soupe leur chatouillait les narines et leur mettait l'eau à la bouche.

1. Pourquoi le vagabond marmonne-t-il juste avant de jeter le clou dans le chaudron ?

2. Comment le vagabond réussit-il à obtenir les ingrédients pour faire une vraie bonne soupe ?

3. Comment fait-on la soupe au clou ? Donne la recette.

9 L'imparfait et le passé composé des verbes *faire, dire, pouvoir, vouloir, prendre*

Je me rappelle

- Je recopie les verbes. J'indique leur temps de conjugaison. J'écris leur infinitif.

Depuis quelques jours, la voiture avait du mal à démarrer. Le moteur toussait.
Ce matin il a refusé de partir. Alors je suis allé à l'école à pied.

J'observe, je réfléchis, je comprends

1 Je cherche l'infinitif des verbes en couleur. Je les recopie dans le tableau.

– Qu'est-ce que vous faisiez vers 8 heures hier matin, au moment du vol dans votre rue ?
– Madame la Commissaire, j'ai dit tout à l'heure que je faisais ma toilette
   et que je prenais mon déjeuner.
– Mais vous avez dit aussi que vous avez fait une balade avec votre chien !
   Vous ne pouviez pas en même temps être chez vous et dans la rue !
– Pardon, j'ai pu me tromper ! J'ai fait une confusion ! J'ai voulu dire la vérité.
– Admettons. Donc vous preniez votre café. Vous disiez tout à l'heure que
   la télévision des voisins faisait du bruit. Mais ils ont pris leur voiture à 7 heures !
– Je disais ça, mais je voulais parler du voisin du dessus, un copain qui est
   un peu sourd. Il a pris l'habitude d'écouter trop fort sa télévision. Je suis monté
   le voir pour en discuter. Nous voulions régler le problème. Il a dit tristement :
– Si tu pouvais faire un effort… Tu sais que je n'entends pas bien.
– Moi, je crois surtout que vous avez voulu avoir un alibi. Vous avez pu vous mettre
   d'accord avec votre copain avant cet interrogatoire !

faire	dire	prendre	vouloir	pouvoir
…	…	…	…	je pouvais
tu faisais	tu disais	tu prenais	tu voulais	…
…	il disait	il prenait	il voulait	elle pouvait
nous faisions	nous disions	nous prenions	…	nous pouvions
…	…	…	vous vouliez	…
elles faisaient	ils disaient	elles prenaient	ils voulaient	elles pouvaient

faire	dire	prendre	vouloir	pouvoir
…	…	j'ai pris	…	…
tu as fait	tu as dit	tu as pris	tu as voulu	tu as pu
elle a fait	…	…	il a voulu	elle a pu
nous avons fait	nous avons dit	nous avons pris	nous avons voulu	nous avons pu
…	…	vous avez pris	…	…
elles ont fait	ils ont dit	…	ils ont voulu	elles ont pu

2 J'entoure les terminaisons de l'imparfait. Ces verbes se conjuguent-ils comme tous les autres ?

3 Je dis à haute voix la conjugaison du verbe *faire* à l'imparfait.
   Comment se prononce la première syllabe du verbe ?

4 Avec quel auxiliaire ces verbes se conjuguent-ils au passé composé ?

5 Je souligne les terminaisons des participes passés. À quoi dois-je faire attention ?

Je reconnais
l'imparfait et le passé composé

1. Je classe les verbes. J'écris leur infinitif.

imparfait	passé composé
tu voulais – vouloir	...

tu voulais – il a fait – nous pouvions
vous avez dit – tu faisais – elles ont pris
je prenais – il disait – elle a pu
nous avons voulu – vous faisiez – il a dit
ils disaient – nous avons fait – vous vouliez

2. J'écris un pronom sujet qui convient.

1. ... ai pris – ... disais
2. ... pouvait – ... avez fait
3. ... prenait – ... a voulu
4. ... voulions – ... avons dit
5. ... ont pu – ... faisaient

Je conjugue à l'imparfait
et au passé composé

3. Je conjugue au passé composé.

1. j' *(pouvoir)* – nous *(prendre)*
2. tu *(dire)* – nous *(vouloir)* – ils *(faire)*
3. vous *(dire)* – vous *(faire)*
4. il *(prendre)* – elles *(dire)* – tu *(faire)*
5. j' *(prendre)* – elle *(pouvoir)*

**4. Je conjugue le premier verbe
de la phrase à l'imparfait,
le second au passé composé.**

1. Tu *(dire)* tout le temps « Je préfère la mer »,
et pourtant, tu *(prendre)* tes vacances
à la montagne !
2. Les restaurateurs du vieux tableau *(faire)*
très attention, aussi leur travail *(prendre)*
beaucoup de temps.
3. L'ours polaire *(vouloir)* attraper sa proie,
mais le phoque *(pouvoir)* s'échapper.
4. Hier, la tempête *(faire)* rage, mais plusieurs
bateaux *(prendre)* la mer malgré tout.
5. C'est curieux. Vous étiez bons amis, vous
(vouloir) tout faire ensemble, et hier
tu *(dire)* du mal de lui !

**5. Je recopie le texte. Je conjugue
la partie a. à l'imparfait,
la partie b. au passé composé.**

a. Le vagabond *(cheminer)* à travers le bois,
il *(vouloir)* rentrer chez lui. C' *(être)* l'hiver,
il *(faire)* froid. Les étoiles *(prendre)* place
dans le ciel, la nuit *(arriver)*. Il se *(dire)* :
« Pourvu que je trouve un abri ! »

b. Tout à coup, il *(repérer)* deux lumières
au loin. Le vagabond *(prendre)* un sentier
vers ces lumières et il *(pouvoir)* atteindre
rapidement une maison isolée. Il *(frapper)*
à la porte et deux terribles voix *(dire)* :
« Qui êtes-vous ? Que voulez-vous ? »
Ces voix *(faire)* très peur au vagabond.

**6. Pour recopier, je choisis le temps
de chacun des verbes :
imparfait ou passé composé.**

Le pilote *(pouvoir)* gagner la course. Mais au
dernier moment il *(prendre)* trop de risques.
Il *(vouloir)* aller encore plus vite. Ses pneus
(faire) un grand bruit : ils *(éclater)*.

J'écris

*Je voulais répéter un tour de magie.
Alors j'…*

**Je continue le récit au passé composé.
J'utilise les verbes *prendre*, *dire*, *faire*,
et tous les autres verbes que je veux.**

– Bien, c'est presque prêt, annonça le vagabond. Pour tout vous avouer, quand le roi et la reine prennent leur soupe, ils font dresser une belle table, avec une nappe de lin, de la belle vaisselle, de grands verres et des fleurs. Ils demandent une grosse miche de pain, un large morceau de fromage […].

Mais puisque nous devons faire sans,
À quoi bon se ronger les sangs !

Désormais, la femme exultait. « Ce pourrait être le roi et moi, je serais la reine », se dit-elle. Elle sortit sa plus belle nappe, sa plus belle vaisselle, ses plus beaux couverts. Elle dressa une somptueuse table et y posa un magnifique bouquet.

Elle prit le reste de la farine et cuisit une miche de pain dans le four. Du garde-manger apparut un gros morceau de fromage […].

Le vagabond trempa sa cuiller dans la soupe et en retira le clou. Il l'essuya et le remit dans sa poche.

Puis il annonça :
– Le diner est servi, Madame !

Il versa la soupe dans les assiettes. Et, le croirez-vous, c'était la soupe la meilleure, la plus savoureuse qu'elle eût jamais gouté.

Le mets était simple, mais il y avait comme un ingrédient magique qui lui avait donné un gout particulier, vraiment savoureux.

Après avoir terminé la soupe, le pain et le fromage […] le vagabond raconta ses voyages autour du monde et, à la fin de la soirée, c'est elle qui lui apprit quelques bonnes blagues.

- **exulter** : montrer une très grande joie.
- **le mets** : le plat servi à table.
- **douillet** : doux et très confortable.

Quand vint l'heure d'aller au lit, elle lui dit :

– Allons, un si bon compagnon que vous ne va tout de même pas dormir sur le plancher.

Et elle lui prépara un lit bien <u>douillet</u>.

Le lendemain elle le réveilla avec une bonne tasse de café […].

Finalement, alors que le vagabond se tenait sur le pas de la porte, prêt à repartir, la femme fouilla dans sa jupe, en sortit une pièce d'or qu'elle lui plaça dans le creux de la main.

– Merci, dit-elle. Vous m'avez vraiment appris quelque chose. Maintenant, je sais faire la soupe au clou.

– Vous avez vu, c'est très simple, répliqua-t-il, pourvu que vous ayez quelque chose de bon à y ajouter !

Puis il s'enfonça dans le sentier. Il avait presque disparu quand il se retourna et lui fit un grand geste d'adieu.

Elle lui rendit son signe et se dit : « Des gens comme lui, il n'en pousse pas sur tous les arbres. »

Puis elle sourit : « Comme la soupe au clou, d'ailleurs ! »

Épilogue

En fin de compte, il ne lui avait pas joué un bon tour.

Car il lui avait ouvert le cœur.

Et ainsi, ils avaient fait ce que les êtres humains

font depuis la nuit des temps, partager un repas et se raconter de belles histoires.

Puissions-nous continuer longtemps à le faire.

---

1. Pourquoi le vagabond a-t-il remis son clou dans sa poche ?

2. À ton avis, quel est l'ingrédient magique qui a donné son *gout particulier* à la soupe ?

3. Relis le texte, regarde bien les illustrations. Comment est la femme au début de l'histoire ? Comment son visage change-t-il tout au long de l'histoire ? Qu'a-t-elle appris à la fin ?

4. Explique comment tu comprends les deux premières phrases de l'épilogue.

5. Discute avec tes camarades : qu'est-ce qu'*accueillir* ?

9 Les mots de sens contraire

Je me rappelle

• Je transforme les phrases affirmatives en phrases négatives.

Lucie regarde à gauche et à droite avant de traverser. Elle est prudente.

J'observe, je réfléchis, je comprends

> Au mémory, je gagne tout le temps.

> Et moi, au contraire, je ... tout le temps. Comment fais-tu ?

> Quand je joue, je suis très attentif.

> Et moi, au contraire, je suis souvent ....

> Au début, c'est difficile. Il y a beaucoup de cartes.

> À la ..., c'est plus .... Il reste ... de cartes.

1 Joue ces deux scènes avec des camarades. Complète ce que disent les enfants. Comment as-tu choisi les mots qui manquent ?

2 Dis le contraire de ces phrases : remplace le mot en bleu par un autre mot.

Le ballon jaune est **gonflé**.
Un haut-parleur annonce le **départ** du train.
Lucie est **prudente**.

Marie **ouvre** la fenêtre quand elle **arrive**.
Je n'ai pas vu le **début** du film.
Le matin, je me lève **tôt**.

3 Classe les mots des activités 1 et 2 dans le tableau.

	mots donnés	mots trouvés
noms		
verbes		
adjectifs		
autres mots		

4 Observe ces articles de dictionnaire. Où trouves-tu les mots qui veulent dire le contraire des mots définis ?

joie (nom féminin)
Sentiment que l'on éprouve quand on est très heureux. *Il a ressenti une grande joie en retrouvant sa famille.* (Syn. plaisir. Contr. tristesse.) • **S'en donner à cœur joie** : profiter au maximum d'un moment agréable. *La fête est très réussie, tout le monde s'en donne à cœur joie.*

poli, ie (adjectif)
Qui respecte les règles de la politesse. *Guillaume est toujours très poli et très courtois.* (Contr. grossier, impoli.) 🏠 Famille du mot : **impoli, impoliment, impolitesse, malpoli, poliment, politesse.**

Dictionnaire Hachette Junior,
© Hachette livre, 2014.

• Le contraire d'un nom est un nom, le contraire d'un verbe est un verbe, le contraire d'un adjectif est un adjectif.

• Je connais maintenant deux façons de dire le contraire :
– j'utilise un mot de sens contraire ;
– je transforme la phrase affirmative en phrase négative, ou la phrase négative en phrase affirmative.

Je reconnais
les mots de sens contraire

1. Je recopie deux par deux les adjectifs de sens contraire.

> lourd – calme – agréable – patient – sale

> désagréable – propre – léger – impatient
> bruyant

2. Je recopie deux par deux les noms de sens contraire.

> la fermeture – le jour – l'autorisation
> la tristesse – l'arrivée

> la nuit – la joie – le départ – l'ouverture
> l'interdiction

3. Je recopie deux par deux les verbes de sens contraire.

> arrêter – accepter – tirer – accélérer – plaire

> pousser – déplaire – commencer
> ralentir – refuser

4. Je recopie deux par deux les mots de sens contraire. Je les classe.
Les noms : …
Les adjectifs : …
Les verbes : …
Les autres mots : …

> avant – construire – détester – difficile
> l'extérieur – la gauche – juste – sous

> aimer – après – détruire – la droite – facile
> injuste – l'intérieur – sur

5. Je remplace chaque mot en bleu par son contraire.

> intéressé   mauvaise   retard   termine

1. Ce matin, Léo est arrivé à l'école avec dix minutes d'avance.
2. Je pense que tu as une bonne idée.
3. Clara commence son exercice.
4. Ce film m'a ennuyé.

6. Dans ces articles de dictionnaire, je transforme les phrases exemples pour utiliser le mot de sens contraire.

précoce (adjectif)
1. Qui arrive plus tôt que d'habitude. *L'hiver est* **précoce** *cette année.* (Contr. tardif.)

visible (adjectif)
1. Qu'on peut voir. *Certaines étoiles sont* **visibles** *à l'œil nu, d'autres pas.* (Contr. invisible.)

allonger (verbe) ▸ conjug. n° 5
1. Rendre plus long. *Ce détour a allongé notre voyage.* (Syn. rallonger. Contr. raccourcir.)

fin (nom féminin)
Moment où une chose se termine. *On est le 31 décembre, c'est la* **fin** *de l'année.* (Contr. commencement, début.) • **Arriver à ses fins** : atteindre le but que l'on s'était fixé. • **Mettre fin à quelque chose** : le faire cesser. • **Prendre fin** : se terminer. ⚑ Famille du mot : final, fin**ale**, fin**alement**, fin**aliste**, fin**i**, fin**ir**, fin**ition**.

Dictionnaire Hachette Junior, © Hachette livre, 2014.

Je trouve les mots de sens contraire

7. Je complète les phrases. Puis je souligne les deux mots de sens contraire.

1. Les couloirs de l'école ne sont pas larges. Ils sont …
2. Mon calcul n'est pas juste. Il est …
3. Aujourd'hui, l'eau de la piscine n'est pas chaude. Elle est …
4. Quand on travaille, on ne parle pas à voix haute. On parle à voix …
5. La promenade ne sera pas longue. Elle sera …

*8. Quand un mot a plusieurs sens, il a aussi plusieurs contraires.

décoller (verbe) ▸ conjug. n° 3
1. Détacher ce qui était collé. *Quel beau timbre ! Je vais le* **décoller** *de l'enveloppe.* (Contr. coller.) 2. Quitter le sol. *Avant que l'avion* **décolle***, les passagers attachent leur ceinture.* (Contr. atterrir.)

Dictionnaire Hachette Junior, © Hachette livre, 2014.

J'écris le contraire de *décoller* dans les phrases suivantes :

1. L'avion a reçu l'autorisation de décoller.
2. Il faudra décoller l'affiche qui annonce la réunion des parents.

9 Comment écrire sans erreur la consonne muette à la fin d'un mot ?

> • Quand un mot se termine par une consonne muette,
> on entend souvent cette consonne dans les mots de sa famille.

 Pour ne pas oublier la consonne muette à la fin d'un mot, je peux souvent :
– chercher un mot de sa famille : le retar? ↦ retarder ↦ le retard
– mettre au féminin si c'est un adjectif : for? ↦ forte ↦ fort

1. J'utilise la famille de mots pour trouver la consonne finale muette.

la hauteur ↦ hau?
un chaton ↦ le cha?
regarder ↦ le regar?
un campeur ↦ le cam?
débarrasser ↦ le débarra?
un abricotier ↦ l'abrico?
la bordure ↦ le bor?
un ventilateur ↦ le ven?
refuser ↦ le refu?
rebondir ↦ le rebon?

2. Pour chaque mot :
– j'écris d'abord un mot de sa famille
– puis j'écris le mot avec sa lettre finale.

un sau? – le débu? – le galo? – le repo?
un po? – le comba? – un candida?

3. J'utilise le féminin singulier de l'adjectif pour trouver sa lettre finale au masculin singulier.

froide ↦ froi?   – permise ↦ permi?
frite ↦ fri?   – gratuite ↦ gratui?
grosse ↦ gro?   – surprise ↦ surpri?

*4. Je remplace le nom féminin par un nom masculin et j'écris l'adjectif au masculin.

une rue interdite – une maison détruite
une ville conquise – une fleur éclose
une classe bruyante – une veste étroite
une indication précise – une odeur délicate

5. Je remplace *elle* par *il*.

elle est lasse – elle est bavarde
elle est assise – elle est gourmande

*6. *Il y a des mots qui n'ont pas de famille !*
Dans chaque liste, il y a un nom qui n'appartient pas à une famille. Je le cherche et je le recopie.

1. le froid – un foulard – un marchand
2. un bond – un bavard – un léopard
3. un gourmand – un goéland – le retard

4. un progrès – le bois – un talus
5. un bras – le repos – une brebis

6. un paquebot – le débat – un toit
7. le gout – un récit – le sommet

7. Je complète les mots outils et je les écris. Si j'hésite, j'utilise mon dictionnaire.

Pour parler du temps

quan?
autrefoi? – parfoi? – quelquefoi?
aussitô? – bientô?
pui? – depui? – avan?
toujour? – jamai?

Pour parler des lieux

dessu? – sou? – dessou?
partou? – dan?

D'autres mots-outils

beaucou? – tro? – commen?
debou? – surtou? – moin?

Comment ne pas oublier la négation ?

- **Pour transformer une phrase affirmative en phrase négative, j'encadre le verbe avec deux mots de négation : ne … pas, ne … plus, ne … jamais, ne … rien.**

  Je range mes jouets. → Je ne range pas mes jouets.

- **Quand le verbe commence par une voyelle ou par un *h* muet, *ne* devient *n'*.**

  Maman n'habille plus ma petite sœur.

- **Quand le verbe est conjugué au passé composé, le second mot de la négation se place entre l'auxiliaire et le participe passé.**

  La séance de course n'*a* pas *fatigué* les élèves.

- **Quand le verbe commence par une voyelle et quand son sujet est *on*, il est très difficile d'entendre le *n'* de la négation. Il ne faut pas l'oublier quand on écrit.**

  On n'oublie pas les bons souvenirs.

1. Ces phrases sont incorrectes. J'écris la négation complète.

1. Ce matin, il pleuvait pas.
2. J'ai plus faim. Je veux pas de dessert.
3. Jules arrête pas de poser des questions.
4. Le médecin autorise pas le malade à se lever.

2. J'écris à la forme négative.

Le piéton avait le temps de traverser.
Il a respecté le signal rouge d'interdiction.
Il a regardé à droite et à gauche avant de s'engager sur la rue.
La voiture a démarré vite.
Mais le conducteur a pu éviter l'accident.

3. Je recopie les phrases négatives bien écrites. J'entoure et je relie les deux mots de la négation.

En forêt, on dérange pas les animaux.
En forêt, on ne dérange pas les animaux.

On n'allume jamais de feux dans les bois.
On allume jamais de feux dans les bois.

On n'oublie jamais d'emporter ses ordures.
On oublie jamais d'emporter ses ordures.

On casse pas les branches des arbres.
On ne casse pas les branches des arbres.

Pour ne pas me tromper :

– Je me demande : est-ce que la phrase est affirmative ou négative ?

– Je remplace *on* par un pronom de conjugaison pour bien entendre la négation.

4. Je remplace *on* par *il* ou *elle*. Puis j'écris à la forme négative,
a. avec *il* ou *elle*, b. avec *on*.

1. On déchire les papiers avant de les jeter.
2. Au bord du bassin, on hésite à plonger.
3. On a envie de sortir sous la pluie.
4. On observe les règles de vie de l'école.
5. Maintenant, on habite à la campagne.

5. J'écris à la forme négative.

Le cambrioleur de la rue des Lilas était grand.
D'après les voisins, on a déjà vu cet homme dans l'immeuble.
Ses chaussures étaient mouillées. Donc il venait de la rue. Il a pris l'ascenseur.
La porte de l'appartement était fermée à clé. Le voleur a trouvé les bijoux.

*6. Ces panneaux de signalisation indiquent une interdiction.
Je formule l'interdiction avec *on*.

9 J'écris une saynète de théâtre

Des élèves ont commencé à transformer le conte *La Soupe au Clou*
en une pièce de théâtre qu'ils joueront à la fête de l'école.

Scène 1

Personnages : le vagabond – la femme

*La scène est sombre. Le vagabond entre. Il porte des vêtements sales
et rapiécés. Il s'appuie sur un bâton. Il a l'air fatigué. Il s'approche d'une maison.*

LE VAGABOND, *s'adressant au public* – Peut-être qu'un bon lit m'attend ici.

Une femme ouvre la porte.

LA FEMME, *l'air mécontent, les mains sur les hanches* – Qui êtes-vous ?
Où allez-vous ainsi ? Et que faites-vous ici ?

LE VAGABOND — Eh bien, je suis un simple voyageur. J'ai parcouru le monde,
et maintenant que je suis allé partout, je retourne chez moi.

LA FEMME — Je vois, mais que cherchez-vous ici ?

LE VAGABOND — À vrai dire, je me demandais si par chance, il n'y aurait pas
un lit pour moi, cette nuit.

LA FEMME — Tiens donc ! c'est bien ce que je pensais. Mais mon mari n'est pas
là et cet endroit n'est pas une auberge. Alors vous feriez bien de
passer votre chemin !

LE VAGABOND, *suppliant* — Je vous en prie. Je suis très fatigué. J'ai passé la nuit dernière dans
le froid, au pied d'un arbre, enroulé dans mon manteau. S'il vous
plait, permettez-moi de me réchauffer et de me reposer chez vous.
S'il vous plait…

LA FEMME, *en grommelant* — Bon, d'accord, vous pouvez dormir par terre près du feu,
mais ne venez pas me demander quelque chose de plus !

LE VAGABOND — Oh non. *Mieux vaut sur le plancher le dos se casser
Que dans la forêt les os se geler.*

---

1 Observe les parties en vert. Ce sont des didascalies. _____
À quelles parties du texte correspondent-elles ? Qu'indiquent-elles ?

2 À quelle partie du texte correspond la partie en violet ? _____
Pourquoi le vagabond s'adresse-t-il au public ?

3 Comment le dialogue est-il présenté ? Quelles parties du texte sont supprimées ? _____

4 La partie en orange n'est pas dans le texte. _____
Pourquoi les élèves l'ont-ils ajoutée ? Comment l'ont-ils écrite ?

5 Écris la scène 2, la fin de la page 129. _____
   – Où se passe-t-elle ? Écris la didascalie pour le changement de décor.
   – Que fait le vagabond ? Que fait la femme ? Écris les didascalies pour indiquer
     leurs gestes, leur comportement.
   – Écris les dialogues.

Argumenter

- Jouer seul dans ta chambre ou jouer dehors avec des copains, que préfères-tu ?
  Explique pourquoi.
  Essaie de convaincre un camarade ou une camarade qui n'est pas de ton avis.

Le grain de riz (1)

Alain Gaussel, *Le grain de riz*,
© Syros, 2006.

Il était une fois un jeune homme qui était très pauvre.
C'était le 31 décembre, le dernier jour de l'année,
et d'habitude, ce jour-là, on fait un bon repas.
Il s'est dit :

« Qu'est-ce que je vais bien pouvoir manger ?
Qu'est-ce que j'ai dans ma cuisine ? »

Il va dans sa cuisine ;
il ne lui restait plus rien :
pas de pommes de terre,
pas de spaghettis,
pas de couscous, pas de haricots,
pas de lentilles, pas de pain,
pas de sucre, pas de chocolat,
pas de lait,

rien, rien, rien.

Il avait une vieille, vieille table
en bois, il tire le tiroir de la table
et là, qu'est-ce qu'il trouve,
coincé dans une fente de tiroir ?
Un grain de riz. Il se dit :

« Je vais manger ce grain de riz.
Ça vaut mieux de manger un grain de riz
que de ne rien manger du tout.
Je vais le faire cuire,
ça me fera passer le temps et puis,
quand il sera cuit, je le sucerai
lentement, lentement. »

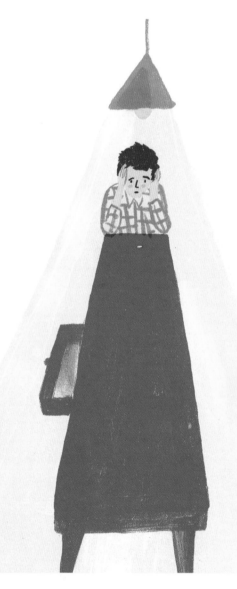

- **avoir la flemme** : avoir envie de ne rien faire.
  Cette expression appartient au langage familier.

- **y en a** : façon familière de dire *il y en a*.

- **un rhumatisme** : une douleur dans les articulations.

Mais pour faire cuire son grain de riz, il lui fallait une casserole.
Il était tellement pauvre qu'il n'avait plus de casserole :
il avait déjà vendu toute sa vaisselle.
Il va trouver son voisin :
– **Tu peux me prêter une casserole ? J'ai du riz à faire cuire**
pour ce soir.
– **D'accord**, dit son voisin, **je te passe une casserole.**
Laquelle veux-tu, la petite ou la grande ?
– **Moi, on m'a dit, pour faire cuire le riz, pour qu'il ne colle pas,**
pour qu'il n'attache pas, il faut le faire cuire dans beaucoup d'eau.
Donne-moi donc la grande casserole.

Le voisin se dit :
« Il doit avoir beaucoup de riz, moi, j'ai la flemme de me faire
à manger ce soir, je viendrais bien manger avec lui… »
– **D'accord, je te prête la casserole, mais ce soir**
je viens manger avec toi.

– D'accord, quand y en a pour un,
y en a pour deux.

Pour faire cuire le riz, il fallait mettre de l'eau dans la casserole.
Il n'en avait pas, parce qu'à cette époque-là il n'y avait pas l'eau
courante dans les maisons.
Il fallait aller chercher l'eau à la fontaine, c'était à huit cents mètres,
c'était l'hiver, il faisait froid. Pour tirer l'eau de la fontaine,
il y avait une pompe à main, il avait du rhumatisme,
il avait la flemme d'y aller.
« La voisine, elle va bien me passer un peu d'eau. »

---

1. Observe la mise en page du texte depuis *il va dans sa cuisine*
   jusqu'à *rien, rien, rien*.
   Comment montre-t-elle que le jeune homme est très pauvre ?

2. Explique pourquoi le voisin se dit : *Il doit avoir beaucoup de riz.*
   Relève tous les mots qui le lui ont fait croire.

3. Comment comprends-tu *Quand y en a pour un, y en a pour deux* ?

4. Pour quelles raisons le jeune homme ne va-t-il pas chercher
   lui-même de l'eau à la fontaine ?

10 Apporter des précisions à la phrase : Où ? Quand ? Comment ? Pourquoi ?

Je me rappelle

• J'entoure le groupe sujet, je souligne le groupe verbal.

Le jeune homme pauvre tire le tiroir de la vieille table en bois. Il trouve un grain de riz.

J'observe, je réfléchis, je comprends

Toutes les classes ont peint un décor de théâtre.

Quand ?

Comment ?

Ce matin, toutes les classes ont peint un décor de théâtre.

Ce matin, toutes les classes ont peint un décor de théâtre sous le préau.

Ce matin, toutes les classes ont peint un décor de théâtre sous le préau, avec des gros pinceaux.

Ce matin, toutes les classes ont peint un décor de théâtre sous le préau, avec des gros pinceaux, pour faire une surprise aux parents !

Où ?

Pourquoi ?

❶ Que dit la petite fille à ses parents ?
Comment répond-elle aux questions qu'ils lui posent ?

❷ Dans chaque phrase, j'entoure le groupe sujet et je souligne le groupe verbal.
Je dis ce que je constate.

❸ Je précise les phrases. J'ajoute un groupe de mots qui répond à la question.

Le jeune homme pauvre n'avait plus rien à manger. Quand ?

Il a trouvé un grain de riz. Où ?

Il a eu besoin d'une casserole. Pourquoi ?

Autrefois, on tirait l'eau à la fontaine. Comment ?

• On peut étendre la phrase pour la préciser.

• Les groupes de mots qui répondent aux questions où ? quand ? comment ? pourquoi ? apportent des précisions à toute la phrase.

Je reconnais les groupes de mots qui précisent la phrase

1. Je souligne les groupes de mots qui répondent à la question *où ?*

Je retrouve mes amis à l'entrée du parc.

Le jardinier plante des fleurs le long des allées.

Dans le bac à sable, deux petits crient et se disputent.

Il y a beaucoup de monde au pied du toboggan.

2. Je souligne les groupes de mots qui répondent à la question *quand ?*

On taille les arbres fruitiers au début de l'hiver.

Au printemps, ils se couvrent de fleurs.

Dès le mois de mai, les premiers fruits murissent.

La récolte commence au début de l'été.

3. Je souligne les groupes de mots qui répondent à la question *comment ?*

Hier, un enfant de 12 ans est tombé à la mer en glissant sur un rocher.

Un sauveteur a ramené rapidement le noyé avec son bateau à moteur.

Pendant ce temps, des témoins avertissaient les pompiers par téléphone.

4. Je souligne les groupes de mots qui répondent à la question *pourquoi ?*

La famille Loïc prend un taxi pour aller à la gare.

Mais, en raison d'un embouteillage, le taxi ne peut plus avancer.

Le carrefour est bloqué à cause d'un accident.

*5. À quelles questions répondent les groupes de mots en couleur ?

Les tortues du désert passent les heures chaudes de la journée dans leur terrier. Elles sortent le matin ou à la tombée de la nuit, pour manger des plantes grasses.
La femelle pond ses œufs dans des trous à l'entrée du terrier. Elle les protège en les couvrant de sable.

Je précise les phrases

6. Je précise la phrase avec un groupe de mots qui répond à la question.

1. Le soleil brillait. *Quand ?*

2. Une voiture est passée. *Où ?*

3. Pierre a résolu le problème. *Comment ?*

4. Je reste assise. *Pourquoi ?*

7. Je remplace le groupe de mots en couleur par un autre qui répond à la même question.

1. Des enfants jouent dans la cour.

2. Je fais du vélo le dimanche matin.

3. Lucie marche à côté de son père à grands pas.

4. Aujourd'hui notre voisin prend sa voiture pour aller au travail.

*8. J'écris une phrase qui répond à la question.

1. Quand l'été commence-t-il ?

2. Pourquoi doit-on dormir ?

3. Comment viens-tu à l'école ?

4. Où trouve-t-on des champignons ?

*9. J'écris une phrase avec chaque groupe de mots.

pendant les vacances – sur le trottoir pour me réchauffer – avec précaution

J'écris

Tu es journaliste.
Tu dois présenter cet évènement en une seule phrase.
Ta phrase doit contenir les réponses aux questions *où ? quand ? pourquoi ?*

10

Il va chez la voisine :

– **J'ai du riz à faire cuire pour ce soir pour le voisin et moi
mais je n'ai pas d'eau.**

Tu peux m'en passer un peu ?

La voisine lui répond :

– **D'accord, mais je me suis donné du mal pour aller à la fontaine,
je te passe de l'eau mais je viendrai manger le riz avec vous.**

– **D'accord, quand y en a pour deux,
y en a pour trois.**

Pour faire cuire le riz, il fallait faire du feu, avec du bois,
du papier et des allumettes.
Il n'en avait pas.
Il va chez Pierre, chez Jacques.
Pierre lui a passé du bois,
Jacques des allumettes
et Michel du papier.

Chaque fois qu'il empruntait quelque chose, ils ont dit :

– **D'accord, mais on vient avec vous.**

– **D'accord, quand y en a pour trois,
y en a pour quatre.**

– **D'accord, quand y en a pour quatre,
y en a pour cinq.**

– **D'accord, quand y en a pour cinq,
y en a pour six.**

Du coup, il avait tout ce qu'il fallait : le feu, l'eau, la casserole,
mais un seul grain de riz.

« Comment je vais faire ce soir pour partager
le grain de riz en six ? Ou alors, on le suce chacun
notre tour... »

Il réfléchit, réfléchit.

Tout à coup, il a une idée.
Dans le village, il y avait un fermier qui élevait des poules.
Il va le trouver, il lui dit :

– Ce soir, on est six à manger du riz. Y a le voisin, la voisine,
Pierre, Jacques, Michel et moi.
Toi, tu es tout seul, tu dois t'ennuyer. Si tu as envie
de venir manger avec nous, tu seras le bienvenu.
Mais on est de pauvres gens, on mange le riz sec,
sans viande, sans assaisonnement. Toi, tu mangerais
le riz avec une poule, par exemple, mais si tu veux manger
notre riz, tu seras le bienvenu.

Le fermier dit :
– Je viens manger votre riz mais je ne vais pas venir les mains vides,
c'est normal que j'apporte quelque chose.
Tiens, prends cette petite poule grasse qui est là.

Le garçon a pris la poule, il était content.
Il vaut mieux manger une poule à sept que manger
un seul grain de riz à six.

---

1. Imagine ce que le jeune homme a dit à Pierre, à Jacques et à Michel.
   Joue les dialogues avec trois camarades.

2. Quel problème le jeune homme rencontre-t-il lorsqu'il a tout ce qu'il lui faut ?

3. *Il réfléchit, il réfléchit. Tout à coup, il a une idée.*
   Imagine ce qu'il s'est dit dans sa tête. Explique son idée.

4. Dans cette histoire, les mots n'ont pas tous la même taille,
   la même grosseur, la même forme. Explique pourquoi.
   Sers-toi de ces différences pour bien lire à haute voix.

10 Le futur

Je me rappelle

- Pour chaque phrase, j'indique si elle parle du passé, du présent ou du futur.
  Puis j'entoure le verbe.

  Cette nuit, de violents orages ont éclaté sur la ville. Actuellement, beaucoup de routes sont encore inondées. Les transports scolaires sont interdits. Les élèves resteront chez eux jusqu'à la fin de la semaine.

J'observe, je réfléchis, je comprends

1 Ce courriel parle-t-il du passé ? du présent ? du futur ?

Nouveau message					_ ⤢ ✕
À	*Sophie et Jean*				
De	*Léa*				Cc Cci
Objet	*Au revoir !*				

Et voilà ! Avec mes parents, nous partirons demain.
Mes cousines garderont mon chat. Est-ce qu'il sera triste ? Est-ce qu'il reconnaitra sa maitresse à mon retour ? Je resterai trois ans en Australie. Comme cela, je découvrirai un nouveau pays. Mais est-ce que les enfants là-bas comprendront ce que je dirai ? Est-ce qu'ils parleront un peu le français ?
Je serai de retour en France pendant les vacances pour vous voir. En attendant, nous échangerons des courriels et des photos. Nous utiliserons Internet. Jean, tu joueras de la guitare pour moi ? Et tu posteras la vidéo ? Sophie, tu choisiras une de tes poésies pour me l'envoyer ? Et vous réussirez surement à terminer notre cabane !
Le temps jusqu'aux vacances passera vite ! Vous resterez toujours mes meilleurs amis.
À mon retour, nous parlerons de tout et vous raconterez tout à votre amie, Léa

Sans Serif · ·T· B *I* U A· ▤· ⋮≡ ≡ ⬛ ⬛ 99 *Iₓ*

Envoyer A ⬭ ⬥ ⬛ ⬛ ∞ ☺   🗑 ▾

2 Je relève les verbes conjugués du texte dans le tableau.

	je	tu	il, elle	nous	vous	ils, elles
infinitif en **-er**	…	…	…	…	…	garderont …
autres infinitifs	…	…	…	partirons …	…	…

3 J'observe mon tableau : comment les verbes se terminent-ils au futur ?
  Quelle est la marque du futur ? la marque de la personne de conjugaison ?

Conjuguer au futur, c'est facile.
Les terminaisons sont les mêmes pour tous les verbes.

singulier			pluriel		
je, j'	tu	il, elle	nous	vous	ils, elles
-rai	-ras	-ra	-rons	-rez	-ront

Je reconnais le futur

1. Je recopie les verbes conjugués au futur.

1. nous gardons – tu réussiras
2. j'espère – nous attendrons
3. vous travaillez – je travaillerai
4. nous grandissons – il bondira
5. vous aimerez – elles regardaient

2. Je recopie les verbes conjugués au futur.

1. nous entrerons – vous retirez
2. vous éclairez – nous partirons
3. vous rassurez – vous mangerez
4. vous accélérez – nous rassurons
5. nous montrerons – vous pleurerez

3. J'écris un pronom sujet qui convient.

1. ... colorieras – ... entendront
2. ... rirai – ... achèterons
3. ... rougirons – ... sentiras
4. ... oserez – ... portera
5. ... gronderai – ... reconnaitrez

4. Je recopie les verbes conjugués au futur avec le pronom qui les commande. J'écris leur infinitif.

a. Nous préparons notre voyage de fin d'année. Nous visiterons le musée des jouets. La classe se divisera en deux groupes : un groupe découvrira l'histoire des jeux de société, mon groupe fabriquera des marionnettes. Depuis une semaine, nous écrivons les questions que nous poserons aux animateurs.

b. Le directeur est venu dans notre classe avec la responsable de la visite. Ils ont présenté l'emploi du temps de la journée. J'ai demandé :
– Est-ce que je rapporterai ma marionnette à la maison ?
La responsable a répondu :
– Oui, tu garderas ta marionnette, et vous rentrerez tous chez vous avec un souvenir du musée.

Je conjugue au futur

5. J'écris au futur.

1. *sortir* : nous ...   *chercher* : tu ...
2. *suivre* : je ...   *tomber* : il ...
3. *ouvrir* : vous ...   *perdre* : elles ...
4. *présenter* : je ...   *finir* : ils ...
5. *descendre* : tu ...   *cacher* : nous ...
6. *choisir* : vous ...   *expliquer* : elle ...

6. Je complète la terminaison des verbes au futur.

Les travaux dans la rue commence... après-demain.

Des ouvriers taille... les arbres.

Pour éviter les accidents, ils coupe... l'électricité pendant deux heures.

Une barrière interdi... l'accès au chantier.

7. J'écris au futur.

1. Un voyage vers la planète Mars *(durer)* environ six mois.
Les astronautes *(trouver)* peut-être de l'eau, mais elle ne *(être)* pas bonne à boire.

2. Dans quelques années, des voitures sans conducteur *(circuler)* sur les routes.
Un ordinateur *(piloter)* la voiture, il *(décider)* de l'itinéraire. Des radars *(permettre)* d'éviter les accidents.
Les personnes transportées *(lire)* des livres, le journal, ou *(regarder)* des films sur des écrans.

*8. Je récris le texte au futur.

Pour arriver au château, vous quittez la route nationale. Vous tournez à droite en direction de Loupglacé. Vous passez devant l'étang aux Oiseaux.
Vous avancez sur deux kilomètres et vous apercevez la tour du château. Le portail reste ouvert toute la journée. Vous entrez.
Un gardien vous guide jusqu'au parking. Je suis là pour vous accueillir.

Mais, quand même, une poule à sept, ça ne fait pas
un gros morceau pour chacun.

*« Je suis bête de lui avoir parlé de ses poules,
j'aurais dû lui parler de ses dindes ou de ses oies. »*

Dans le village, il y avait une vieille qui élevait des dindes.
Il va trouver la vieille. Il dit :
**– Ce soir, on est sept à manger une poule au riz : le voisin,
la voisine, Pierre, Jacques, Michel, le fermier et moi. Toi, tu es seule,
tu dois t'ennuyer. Si tu as envie de venir manger avec nous,
tu seras la bienvenue. On aura une poule pour huit, ça ne fait pas
un gros morceau chacun, ce n'est pas aussi gros qu'une dinde
mais on se débrouillera avec la poule pour huit.**

La vieille dit :
**– Moi, je ne vais pas venir les mains vides, les dindes, je les vends,
je suis toute seule, je n'ai pas l'occasion d'en manger.
Pour une fois que je peux en manger <u>en compagnie</u>…
Tiens, prends la petite dinde qui est là…**

Quand il a vu que ça marchait bien comme ça, il est allé
chez le jardinier

pour avoir des légumes,

chez le pâtissier
pour avoir des gâteaux,

chez l'épicier
pour <u>l'assaisonnement</u>.

• **en compagnie :** avec d'autres personnes.
• **un assaisonnement :** tout ce que l'on met dans un plat pour lui donner plus de gout.

Ce qui fait que le soir, ils étaient au moins quinze à table
et il y avait un magnifique repas :
la dinde, un ragout, la poule, des gâteaux…
Ils se régalaient.

Au milieu du repas, il y en a un qui dit :
– Ce matin, tu nous as dit que tu nous invitais à manger du riz,
où est ton riz ?

– Ah ! le riz… j'ai oublié de le mettre dans la casserole.
De toute façon vous n'avez pas raté grand-chose.

Il a pris le grain de riz, il leur a montré,
il leur a raconté l'histoire et eux,

ils ont bien **ri** !

1. Comment le jeune homme obtient-il ce dont il a besoin au début de l'histoire,
   puis après avoir réfléchi ?

2. Compare ce que le jeune homme dit au fermier et à la vieille dans ce conte et ce que
   le vagabond dit à la femme dans *La Soupe au Clou* (page 132) :
   Mais puisque nous devons faire sans,
   À quoi bon se ronger les sangs !

3. Pourquoi le dernier mot du conte est-il écrit avec des lettres de grande taille et en gras ?

4. Relis page 137 l'épilogue de *La Soupe au Clou*. À ton avis, peut-il être aussi celui de ce conte ?

10 Les familles de mots

Je me rappelle

• Quel est le mot défini ? Quelle est sa nature ?
Je lis la définition et la phrase exemple.
Combien ce mot a-t-il de synonymes ? Combien
a-t-il de contraires ?

minuscule (adjectif)
Très petit. *Dans le ciel, les étoiles paraissent* **minuscules.** (Syn. microscopique. Contr. énorme, gigantesque.)
[…]

Dictionnaire Hachette Junior,
© Hachette livre, 2014.

J'observe, je réfléchis, je comprends

❶ Dans chaque cadre, tous les mots font partie de la même famille. J'explique pourquoi.

inquiet   : qui a peur que quelque chose de grave arrive.
inquiétant : qui inquiète.
inquiéter   : rendre inquiet.
inquiétude : état d'une personne inquiète.

plonger : sauter dans l'eau la tête la première.
plongée : activité qui consiste à plonger sous l'eau pour pêcher, ou pour rechercher
              quelque chose, ou pour regarder les poissons et les fonds sous-marins.
plongeur, plongeuse : personne qui fait de la plongée.
plongeoir : tremplin sur lequel on monte pour plonger.
plongeon : action de plonger.

secours : aide que l'on apporte à une personne qui est en danger ou dans le besoin.
secourir : apporter du secours à quelqu'un.
secourisme : méthode pour apporter les premiers secours à un blessé.
secouriste : personne qui sait apporter les premiers secours.
secourable : toujours prêt à porter secours à quelqu'un qui en a besoin.

❷ J'observe ces articles de dictionnaire :
– Où sont les mots de la famille du mot défini ?
– Pourquoi y a-t-il des lettres en gras et d'autres en maigre dans ces mots ?

bond (nom masculin)
Saut brusque et rapide. *D'un* **bond**, *Zoé franchit le ruisseau.* • **Faire faux bond à quelqu'un** : ne pas faire ce que l'on avait promis. *Le plombier devait venir ce matin, mais il* **nous a fait faux bond.** ⚓ Famille du mot : **bond**ir, re**bond**, re**bond**ir, re**bond**issement.

lent, lente (adjectif)
Qui n'est pas rapide dans ses mouvements ou dans ce qu'il fait. *Les personnes très âgées marchent à pas* **lents.** *Il travaille bien mais il est un peu* **lent.** (Contr. rapide.) ⚓ Famille du mot : **lent**ement, **lent**eur, ra**lent**i, ra**lent**ir, ra**lent**issement, ra**lent**isseur.

servir (verbe) ▸ conjug. n° 15
1. Donner à quelqu'un ce qu'il demande. *Le garçon m'a* **servi** *une glace.*
2. Être utile pour faire quelque chose. *Un marteau* **sert** *à enfoncer les clous. Ton sécateur m'a beaucoup* **servi** *pour tailler les rosiers.* 3. Se servir : prendre soi-même quelque chose. *Si vous voulez boire quelque chose,* **servez-vous.** 4. Se servir de quelque chose : l'utiliser. *Zoé* **se sert de** *l'ouvre-boîte pour ouvrir la boîte de petits pois.* ⚓ Famille du mot : de**ser**vir, **serv**ante, **serv**eur, **serv**iable, **serv**ice, **serv**iteur, re**serv**ir.

Dictionnaire Hachette Junior,
© Hachette livre, 2014.

• **Une famille de mots,** c'est l'ensemble des mots formés à partir d'un mot de base.
• **Dans tous les mots de la famille,** on retrouve une partie commune : le radical.
Le radical apporte le sens partagé par tous les mots de la famille.
Quelquefois le radical est le mot de base entier : lent – lentement – lenteur – ralentir
Quelquefois c'est une partie du mot de base : servir – serveur – service – serviteur.

Je reconnais les familles de mots

1. Je recopie les mots de la même famille deux par deux.

> 1. ranger – danser – arrêter – éclairer – respirer

> arrêt – danseur – éclairage – rangement respiration

> 2. épais – libre – riche – propre – important

> liberté – propreté – richesse – importance épaisseur

2. Je classe les mots par familles dans le tableau.

finir – finale – grandir – passant grandeur – finaliste – passage passerelle – agrandissement

fin	grand	passer
...	...	...

*3. Dans chaque famille de mots, il y a un intrus. Je l'entoure.

1. rapide – vite – rapidité – rapidement
2. glisser – mouillé – glissade – glissant
3. courir – course – couronne – coureur
4. garder – gardien – garderie – garage
5. plante – planter – planète – plantation

Je reconnais le radical

4. J'entoure le radical.

1. une fleur – un fleuriste – fleurir
2. grand – la grandeur – agrandir
3. le jardin – un jardinier – la jardinerie
4. clair – éclairer – un éclair – l'éclairage
5. égal – l'égalité – l'égalisation

J'observe mon travail et je choisis la réponse. Dans ces familles,

a. le radical est le mot de base entier.

b. le radical est une partie du mot de base.

5. J'entoure le radical.

1. sauver – un sauveteur – le sauvetage
2. inventer – un inventeur – une invention
3. un coiffeur – coiffer – la coiffure – décoiffer
4. rouler – un rouleau – une roulade enrouler – dérouler
5. couper – coupant – une coupure un découpage

J'observe mon travail et je choisis la réponse. Dans ces familles,

a. le radical est le mot de base entier.

b. le radical est une partie du mot de base.

J'utilise les familles de mots

6. J'écris un nom dans la famille de chaque verbe.

1. répondre – écrire – commencer
2. promener – fermer – vendre
3. exposer – permettre – sortir

7. J'écris le nom qui manque. Il fait partie de la famille du mot en couleur.

1. Sarah est malade. Mais on peut aller la voir. Sa ... n'est pas contagieuse.
2. Un ... est un appareil électrique qui produit du vent.
3. En cas d'incendie, les élèves doivent évacuer rapidement les classes. Un plan d'... est affiché dans chaque classe.
4. Chaque mois, un conteur vient à l'école. Il nous ... des ... de tous les pays.

*8. Je complète les phrases. Tous les mots appartiennent à la famille de *terre*.

1. Le match a été annulé à cause de la pluie : le ... était inondé.
2. Il fait beau. Déjeunons sur la ... !
3. Des promeneurs ont découvert l'entrée d'un ... derrière le château.
4. Le lapin et le renard vivent dans un ...

Anagrammes

Sur chaque ligne, deux mots sont écrits avec les mêmes lettres. Retrouve-les.

TARTE CARTE CIRAGE CENTRAL TRACE RETARD ACIDE

RAPIDE PRINCE PARTIE ARTISTE RIDEAU TRAINER PIRATE

ORGANISER GUERISON NOUGAT SIGNATURE SOIGNEUR GRIMACE

10 À quoi sert la virgule ?

- **À l'intérieur de la phrase,** la virgule **marque une petite respiration.**
- **On écrit une virgule :**
– **pour séparer les mots ou les groupes de mots quand on énumère.**

  Vous avez le choix entre un yaourt, une compote, une banane et un gâteau.

  Les élèves se mettent en rang, entrent en classe et s'assoient en silence.

– **pour séparer, au début de la phrase, la partie qui dit où, quand, comment, pourquoi.**

  Près des pôles, il fait froid toute l'année.

  Pour limiter la pollution, les automobilistes doivent réduire leur vitesse.

  Avec un bon esprit d'équipe, on peut espérer gagner la coupe.

**1. Le maitre va lire ces phrases.
J'écoute bien et je place les virgules.**

1. Dès les premiers jours du printemps le jardinier sème les salades les radis les petits pois et les ognons.

2. Un matin sur le parking de l'immeuble derrière une voiture le gardien a trouvé trois chatons un noir un gris et un roux.

3. Dans la famille Clown le père a un nez rouge et d'immenses chaussures la mère saute à la corde le fils joue de l'accordéon et la fille fait des pirouettes sur un ballon.

 À la fin d'une énumération, je remplace la dernière virgule par *et*.

2. Je recopie les phrases bien ponctuées.

1. Pour son anniversaire, Loïc a reçu un jeu de construction, un ballon, un livre.

2. Les deux patineurs étaient vifs agiles gracieux et souriants.

3. Le mercredi après-midi, pendant que mes parents travaillent, je vais au centre de loisirs.

4. Deux fois par semaine Chloé Thomas et Lisa prennent une leçon de piano à l'école de musique.

5. Aujourd'hui, dans la salle de sport, Jules, Lou et Zoé disposent les tapis, Simon et Léa vont chercher les balles, Sacha et Élise distribuent les foulards et les autres élèves se rangent par équipes.

3. Je lis à voix basse et je place les virgules.

1. Le toucan a un bec énorme long épais et coloré.

2. Les aras sont des oiseaux au plumage coloré rouge vert bleu et jaune.

3. Dans une scène du film le héros rencontre un écureuil gai rieur intrépide moqueur et malicieux.

4. Je lis à voix basse et je place les virgules.

1. En Espagne on prépare la paella avec du riz du poisson des coquillages et du poulet.

2. En France chaque région a ses plats traditionnels.

3. En Suède pour les repas de fête on mange des harengs marinés des boulettes de viande des gratins de pommes de terre et des gâteaux.

4. Avec ses pâtes délicieuses ses pizzas ses légumes grillés son jambon et son fromage la cuisine italienne est aimée dans le monde entier.

5. Je recopie : je place les virgules.

1. Une voiture freine s'arrête laisse passer les piétons et redémarre.

2. Le hamster tourne dans sa roue glisse sur le toboggan grignote quelques graines va boire de l'eau au biberon et va se cacher dans un coin de sa cage.

3. Pour aller au musée vous prenez la première rue à gauche vous passez devant la mairie et vous tournez à droite.

Quand faut-il écrire *é*, *è* ou *e* ?

Comment ne pas oublier les accents ?
Comment ne pas mettre des accents quand il n'en faut pas ?

	Pour écrire le son /e/	Pour écrire le son /ɛ/
à la fin d'une syllabe	é l'é/clat – le dé/but la beau/té	è la rè/gle la planè/te
à la fin d'un mot	devant un e muet é la fée – la dictée sucrée – calmée	devant un s è le progrès après
à l'intérieur d'une syllabe		e a/ccep/ter – une ves/te
devant une consonne double	e un effort – un perroquet – l'essence	e belle – un verre – la vitesse
en début de mot devant *s* ou *x*		e un exemple, un escalier

1. Je classe les écritures du son /e/.

é à la fin d'une syllabe	é à la fin d'un mot qui se termine par un e muet	e devant une consonne double…
…	…	…

un déménageur – une dictée – un écrin
effrayant – une allée – un message
un accordéon – un caméléon – une idée
une cheminée – l'intérêt – un essai

2. Je recopie les mots bien orthographiés.

1. le dessin/le déssin
2. le téléphone/le télephone
3. une sérrure/une serrure
4. un eléphant/un éléphant
5. le cafe/le café
6. la purée/la puree
7. préssé/pressé

3. Je recopie les mots bien orthographiés.

1. le pere/le père
2. dernier/dèrnier
3. un mètre/un metre
4. une pièrre/une pierre
5. un exposé/un èxposé
6. un reflet/un reflèt
7. célèbre/célebre

5. Je remplace e par é ou è si l'accent manque.

1. septembre – decembre
2. un vehicule – l'essence – la chaussee
3. un recit – un explorateur – une video
4. un billet – un message – une lettre
un poete – une poesie – un texte
5. une pasteque – un pepin
une cacahuete – des epinards
6. un dessert sucre – un plat epice
des feves salees – une creme brulee

*6. J'écris les accents qui manquent.
Si j'hésite, j'utilise mon dictionnaire.

Des stations meteorologiques sont installees
un peu partout sur notre planete et dans
l'espace.
Elles observent les mouvements
des nuages, la direction des vents.
Elles relevent les temperatures et
les precipitations, c'est-à-dire la quantite
de pluie qui tombe.
Grâce à ces donnees, la presentatrice
de la meteo peut annoncer, le soir,
à la television, les previsions du temps
et la couleur du ciel pour la journee
de demain.

10 Écrire une recette

RECETTE DU QUATRE-QUART AUX POMMES

6 personnes

Ingrédients

- 5 œufs
- 250 grammes de farine
- 250 grammes de beurre
- 250 grammes de sucre
- 4 pommes
- 1 pincée de sel

Matériel

- une cuillère
- un couteau
- un moule

1. Mélanger le sucre et le beurre ramolli pour obtenir une pâte molle.
2. Ajouter les œufs un à un. Bien mélanger.
3. Ajouter la farine et le sel. Bien mélanger.
4. Éplucher les pommes. Les couper en morceaux.
5. Verser la moitié de la pâte dans le moule.
6. Poser les morceaux de pommes sur la pâte.
7. Recouvrir avec le reste de pâte.
8. Demander à un adulte de mettre le gâteau dans le four à 180 degrés.
9. Laisser cuire 45 à 60 minutes.

❶ Quelles sont les différentes parties de cette recette ? _____

❷ Recherche les verbes. Que remarques-tu ? _____

❸ Pourquoi y a-t-il des numéros dans le texte de la recette ? _____
Pourquoi n'y a-t-il pas de numéros dans la liste des ingrédients et du matériel ?

❹ Voici une recette en images. Écris-la. _____

GÂTEAU AU JUS D'ORANGE POUR 6 PERSONNES

❺ Écris la recette de la soupe au clou. _____

Analyser une image

- Décris exactement ce que tu vois sur cette affiche. _____

- Cette affiche apporte un message. Lequel ? _____
  Comment le fait-elle comprendre ?

- Maintenant que tu as identifié le message, invente un slogan _____
  pour écrire au bas de cette affiche.

Le tour du Monde
avec le soleil (1)

Il est 20 heures à Paris, en France

Victor et Louise vont se coucher. Demain, à l'école, ils reçoivent leurs correspondants. Ensemble, ils visiteront le musée du Louvre. Le Louvre contient des milliers d'œuvres d'art : des antiquités égyptiennes, des sculptures grecques et romaines, des bijoux, des tableaux. Impossible de le visiter tout entier en une seule journée et même en une semaine ! Ils ont choisi un thème : l'histoire des jeux. Avec une animatrice du musée, ils découvriront que des jeux d'aujourd'hui étaient déjà pratiqués il y a bien longtemps en Égypte et au Proche-Orient : les billes, les dés, les osselets, les jeux de course-poursuite comme le jeu de l'oie qu'ils connaissent bien.

Au même moment, il est 19 heures à Foum Chenna, au Maroc

Ali a fini d'installer le campement. Il fait froid, la nuit, dans le désert du Sahara ! Il va maintenant s'occuper de ses chameaux. Ali accompagne des touristes. Aujourd'hui, dans la vallée de la Drâa, ils ont admiré des peintures rupestres vieilles de plusieurs milliers d'années. Il y a bien longtemps, ce désert très chaud et aride était une vallée verdoyante et fertile, habitée par des agriculteurs.

Au même moment, il est 18 heures à Reykjavik, en Islande

Finnboga s'habille chaudement : ce soir, il fait très froid, le ciel est dégagé. C'est le bon moment pour aller admirer, à quelques kilomètres au nord de la capitale de l'Islande, une aurore boréale. Elle est prête ! D'immenses rubans vert clair, violets, roses, bleus ondulent dans le ciel noir parsemé d'étoiles. Des rayons jaillissent. Pour Finnboga, l'aurore boréale est le plus merveilleux des spectacles de lumière offerts par la nature.

Au même moment, il est 17 heures à Mindelo, dans les iles du Cap-Vert

Telmo, le pêcheur, tire sa petite barque sur le sable de la baie. Il débarque sa pêche de l'après-midi et va l'apporter au marché aux poissons.

Irina, sa femme, brode des nappes, des dessus de lit et des sacs qu'elle vendra aux touristes sur la place principale de la ville. Elle attend Paloma et Marco, les deux petits qui reviennent de l'école. Silvio, leur grand frère, va à l'école seulement le matin. L'après-midi, il travaille pour aider sa famille.

11 Les mots invariables : les adverbes

Je me rappelle

• Je souligne les verbes. J'entoure les adjectifs qualificatifs.

Mouna habite dans un immeuble ancien, au dernier étage. Dans son grand appartement, elle a une vue magnifique sur les toits roses et gris de la ville.

J'observe, je réfléchis, je comprends

1 J'associe les phrases et les dessins. J'explique mon choix.

Alice est petite. – Alice est trop petite. – Alice est trop grande.

Jules court. – Jules court vite. – Jules court lentement.

2 Je cherche un mot pour compléter les phrases.

1. Le matin, la circulation est … difficile. Les élèves qui viennent en voiture arrivent … en retard à l'école.

2. Coline aime … nager. Quand on lui demande ce qu'elle veut faire, elle répond … : aller à la piscine.

3. Arthur et Clara s'habillent … : ce matin, la température est … basse.

Je souligne les verbes et les adjectifs. À quoi servent les mots que j'ai ajoutés ?

3 Je compare les phrases. Qu'est-ce qui change ? Qu'est-ce qui ne change pas ?

1. Le chat marche silencieusement.   – Les chats marchent silencieusement.

2. Mon amie arrivera bientôt.   – Mes amies arriveront bientôt.

3. Cette orange est déjà mure.   – Ces oranges sont déjà mures.

4. L'exercice est très facile.   – Les exercices sont très faciles.

• Les adverbes précisent le sens du verbe ou de l'adjectif.

• Les adverbes sont des mots invariables.

Je reconnais les adverbes

1. Je souligne les adverbes.

1. Le mercredi, nous sommes peu nombreux à la cantine.
2. Mange vite ! Ton repas est presque froid.
3. Vous êtes trop bruyants. Allez jouer ailleurs.
4. Max monte lentement les escaliers et frappe timidement à la porte de la classe.
5. Camille est très timide.
   Quand on l'interroge, elle rougit souvent et elle parle doucement.

2. J'entoure les adjectifs. Je souligne les adverbes qui les précisent.

1. Emma est toujours présente quand on a besoin d'elle.
2. Ce matin, Damien est tout excité à l'idée de partir en vacances.
3. Est-ce que tu es assez grand pour prendre ce livre sur l'étagère ?
4. Le soir, les rues de ma ville sont complètement désertes.
5. Laura s'habille chaudement : elle est très frileuse.

3. J'entoure les verbes. Je souligne les adverbes qui les précisent.

1. La bibliothécaire range soigneusement les livres sur les rayons.
2. Au musée, les élèves écoutent attentivement les explications du guide.
3. Vous parlez fort. Vous dérangez vraiment vos camarades.
4. Les paysans ont attendu longtemps l'arrivée de la première pluie.

*4. Je recopie le texte : je supprime les adverbes.

Le hérisson chasse dans les endroits légèrement humides. Il marche lentement, il s'arrête souvent. Il attend patiemment qu'un ver de terre sorte de son terrier ou qu'un scarabée très imprudent passe sous son nez. Les jardiniers aiment beaucoup les hérissons, parce qu'ils protègent efficacement les légumes des limaces et des insectes.

J'utilise les adverbes

5. Je choisis l'adverbe qui va bien avec le sens du texte.

| debout | – | certainement | – | seulement |

| tôt | – | vraiment |

1. Le voyage est long, nous partirons ....
2. Cet enfant est ... grand pour son âge !
3. Le bus était plein. Beaucoup de voyageurs sont restés ....
4. On ne peut pas faire un gâteau. Il reste ... une cuillerée de farine.
5. Robin est malade. Écrivons-lui. Il sera ... content de recevoir notre lettre.

*6. Je récris les phrases avec des adverbes de sens contraire.

1. À la cantine, Maxime mange lentement.
2. Le champion de judo a battu difficilement son adversaire.
3. Ma meilleure amie habite loin.
4. Comme ces enfants sont mal élevés !

Jeu de l'oie des adverbes

Complète les phrases avec un adverbe pour avancer.

	→ Sam est ... inquiet.	Il essaie ... d'ouvrir le portail.	La grille grince	Il entre ... et regarde tout autour de lui.	S'il rencontre quelqu'un, il demandera ... son ballon.	Il regarde .... ↓
« Tu troubles ... mon repos. » ↓	« Tu jettes ... ton ballon dans mon jardin. »	« Ah ! Ah ! Tu n'as pas ... fermé la porte ! »	Un rire ... inquiétant se fait entendre.	Tout à coup, la grille se referme	Sam cherche ... son ballon.	Mais le jardin semble ... vide. ←
→ C'est un lutin de jardin ... menaçant.	Ses yeux brillent	Il regarde Sam	« Excusez-moi, je suis ... désolé », dit Sam.	..., pars ... !	« Vous vous ennuyez .... ici. Et si on jouait au ballon ... ?	

11

Au même moment, il est 16 heures
à Saint-Pierre-et-Miquelon, en France

Devant les fourneaux de son restaurant, Karilène commence les préparatifs pour le repas du soir. Au menu, une bonne soupe de raquette.

À Saint-Pierre-et-Miquelon, la raquette est l'arête centrale de la morue. On l'enlève quand on découpe le poisson. Et il reste toujours autour quelques petits morceaux de chair qui donneront un gout délicieux à la soupe. La recette est simple : Karilène prépare d'abord une soupe de légumes ordinaire.

Quand elle est déjà un peu cuite, elle y plonge les raquettes. Elle laisse cuire encore un peu, elle retire les raquettes et elle sert la soupe. Bon appétit !

Au même moment, il est 15 heures
dans la forêt amazonienne,
quelque part en Guyane, en France

Ana, Thiago et Luciana rentrent au campement. Leurs appareils photos sont remplis de clichés. Leurs sacs sont pleins d'échantillons de végétation soigneusement ramassés dans cette minuscule partie de la plus grande forêt tropicale du monde.

Tous les trois sont des botanistes.

Sous la canopée, le grand toit de branches et de feuilles qui s'élève à plus de 35 mètres, au milieu des cris des singes et des oiseaux, ils cherchent des plantes rares qui serviront à fabriquer des médicaments.

Au même moment, il est 14 heures
à Tadoussac, au Québec

Martin est capitaine-naturaliste. Il aide Lise, Thomas, Paul et Marthe
à descendre du petit bateau. Leur excursion en mer se termine. Ils sont partis
tôt ce matin pour observer les baleines et ils ont eu de la chance : ils ont
d'abord rencontré un groupe de bélugas, ces magnifiques baleines entièrement
blanches, puis ils ont vu deux rorquals qui jouaient à sauter et à faire
des roulades dans les hautes vagues.

Martin a emmené ensuite ses
passagers à la rencontre des grands
phoques gris, des oiseaux de mer
et du phare-toupie, un drôle
de phare qui guide les navires dans
les forts courants de cette région.
Il ne se lasse jamais de faire
découvrir les paysages magnifiques
de cet endroit où il est né et qu'il aime.

Au même moment, il est 13 heures
sur l'île de Pâques, au Chili

Mahé pose sa brosse et son pinceau et va se reposer à l'ombre de la tente.
Il est l'heure du déjeuner sur le chantier de fouilles.

Ce matin, Mahé et ses amis ont
dégagé quelques centimètres
du corps d'un moaï.
Les moaï sont des statues géantes,
faites d'un seul bloc de pierre.
Ils se dressent sur les collines et
les côtes de l'île et veillent sur elle,
le dos tourné à l'océan Pacifique.

11 Le futur des verbes *être*, *avoir*, *aller*, *venir*

Je me rappelle

• J'écris au futur.

Karilène prépare une bonne soupe de légumes. Elle plonge l'arête de poisson dans la marmite. Elle laisse cuire encore un peu. Puis elle retire l'arête. Je mets le couvert et tous les deux nous servons la soupe très chaude. Quel régal !

J'observe, je réfléchis, je comprends

Quand je serai grand, j'aurai un bateau. J'irai en mer tous les jours. Je serai guide. Les touristes viendront sur mon bateau et nous irons faire le tour des iles. Ils seront heureux de découvrir les paysages magnifiques de mon pays.

– Et vous, qu'est-ce que vous ferez quand vous serez grands ?
– Nous serons botanistes. Nous irons dans la forêt tropicale. Nous aurons une cabane perchée dans les arbres. Est-ce que vous viendrez nous voir ?

Quand elle sera grande, Mina sera archéologue. Tous les matins, elle ira sur le chantier de fouilles. Son chien viendra surement avec elle. Elle aura peut-être la joie de découvrir des traces de notre passé.

❶ Je relève les verbes conjugués. Je cherche leur infinitif.
Je recopie les formes conjuguées dans le tableau.

aller	venir	être	avoir
…	…	…	…

❷ Quand je parle, je sais dire ces verbes au futur.
Je complète le tableau de conjugaison.

❸ Je me rappelle les règles de conjugaison.
Qu'est-ce qui est pareil ? Qu'est-ce qui change ?

Quand je conjugue les verbes *être*, *avoir*, *aller*, *venir* au futur :

• les terminaisons sont les mêmes que pour les autres verbes :
je se**rai** – tu au**ras** – elle i**ra** – nous viend**rons** – vous se**rez** – ils au**ront**.

• c'est le début du verbe qui change.

J'apprends ces conjugaisons par cœur.

Je reconnais les verbes conjugués au futur

1. Je recopie les verbes conjugués au futur.

ils sont – nous irons – j'avais – vous irez
elles seront – tu as – elle ira – ils ont
je serai – vous venez – il viendra – j'aurai

2. J'écris un pronom sujet qui convient.

1. ... viendrons   – ... irai
2. ... irez   – ... aurai
3. ... seront   – ... ira
4. ... aura   – ... serez
5. ... viendras   – ... aurons

Je conjugue au futur

3. Je conjugue au futur.

1. ils *(avoir)* – nous *(aller)* – tu *(être)*
2. tu *(aller)* – vous *(avoir)* – il *(venir)*
3. nous *(être)* – je *(venir)* – elles *(aller)*
4. elle *(être)* – tu *(avoir)* – elle *(venir)*

4. Je conjugue au futur.

1. Vous *(avoir)* froid quand vous *(aller)* vous promener en forêt.
2. Souhaïl *(avoir)* un petit chien pour son anniversaire. Il *(être)* très content.
3. Demain, Emma *(aller)* à l'école en vélo.
4. Le papa de Simon *(venir)* dans notre classe au début du mois de février. La semaine suivante, nous *(aller)* visiter son atelier de menuiserie.
5. Nos parents *(venir)* voir notre exposition. Ils *(être)* fiers de notre travail.

5. Je récris les phrases au futur.

1. Nous sommes tous réunis pour l'anniversaire de grand-mère. Elle a beaucoup de cadeaux.
2. Nos correspondants viennent nous voir. Nous allons visiter un musée.
3. La sœur de Rémi vient le chercher à l'école. Elle est devant le portail avec son vélo et celui de Rémi. Ensemble, ils vont se promener le long de la rivière.

6. *aller* ou *avoir* ?

Je choisis et je conjugue au futur.

1. Demain, nous ... ramasser des pommes. Nous ... besoin de ton aide.
2. Cet été, j'... en vacances au bord de la mer. J'... un masque pour nager sous l'eau.
3. À la fin de l'automne, quand les hérissons ... froid, ils ... s'endormir pour l'hiver dans leur nid de feuilles mortes.
4. Dimanche, pour son anniversaire, Lisa ... un vélo. Lundi, nous ... ensemble à l'école en vélo.

7. *être* ou *avoir* ?

Je choisis et je conjugue au futur.

1. Demain, le ciel ... très nuageux. Il y ... des orages dans l'après-midi.
2. Ce soir, vous ... une grande surprise. J'espère que vous ... contents.
3. Les jumeaux Ludo et Lola ... bientôt 11 ans. L'an prochain, ils ... au collège.
4. « Est-ce que ton déguisement ... prêt ? – Oui, j'... un costume extraordinaire. Tu ... très étonnée. »

8. Pour chaque verbe, j'écris les personnes de conjugaison qui se prononcent de la même façon, mais qui ne s'écrivent pas de la même façon.

1. Venir : *je viendrai – vous viendrez*
   Tu ...   – Nous ...
2. Aller   3. Être   4. Avoir

J'écris

J'imagine l'école du futur, celle où iront mes enfants.

11

Au même moment, il est 12 heures au bord du lac Atitlán, à San Pedro, au Guatemala

Tila et Ricardo sortent leur déjeuner de leur cartable et s'installent avec leurs camarades autour d'une table dans la cour de l'école.
Tila et Ricardo ont la chance d'aller à l'école. Dans leur village, beaucoup d'enfants de leur âge sont obligés de travailler avec leurs parents dans les champs de café, sur les pentes

du volcan, pour aider la famille à vivre. Plus tard, Ricardo voudrait être docteur.
Tila, elle, aimerait être maitresse pour apprendre à lire à tous les enfants du village.

Au même moment, il est 11 heures à Los Angeles, en Californie, aux États-Unis

Le taxi dépose Harper devant un studio de production à Hollywood.
Les premières prises de vue commencent dans deux heures. Harper est cascadeur.
Aujourd'hui, il double un acteur pour une scène très périlleuse : une chute du sommet d'un gratte-ciel.
Depuis deux jours, il a analysé, découpé, répété, chronométré sa cascade avec son conseiller et le metteur en scène. Aujourd'hui, il a commencé sa journée par deux heures d'entrainement sportif. Maintenant, il va régler une dernière fois la scène avec son conseiller et vérifier son matériel. Il ne faut rien laisser au hasard. Puis il s'habillera et se coiffera comme l'acteur qu'il doit doubler. Tout à l'heure, il vivra le danger à sa place.

Au même moment, il est 10 heures
à Juneau, en Alaska

Betty et son équipe de géologues arrivent au pied du glacier Mendenhall,
à quelques kilomètres de la ville. Depuis longtemps, ils connaissent
cet endroit féérique. Quand ils étaient tout petits, ils allaient déjà jouer
sous le glacier, dans les grottes formées par la fonte progressive des glaces.
Là, l'eau coule sur les rochers, et les rayons du soleil qui traversent le plafond
de glace remplissent la grotte d'une douce lumière bleue.

Mais le glacier fond de plus en plus
vite. Dans certaines grottes, une
ancienne forêt vieille de plus de mille
ans commence à sortir des glaces.
Betty vient maintenant étudier ces
arbres pour mieux comprendre
l'histoire du glacier et de tout l'Alaska.

Au même moment, il est 9 heures
quelque part au milieu de l'océan Pacifique

Le porte-conteneur se dirige vers Singapour. Sur le pont, les marins
en combinaison orange assurent l'entretien du navire.
Les uns nettoient le pont à grande eau, un autre gratte la rouille
qui apparait vite car le sel se dépose
partout sur le bateau. Un autre le suit,
un pot de peinture à la main, pour
recouvrir et protéger immédiatement
le métal. C'est aussi l'heure du nettoyage
dans la salle des machines. Aux cuisines,
Dani et Rico commencent la préparation
du repas. On déjeune tôt sur le bateau,
entre 11 heures 30 et 12 heures, et il y a
quinze membres d'équipage à nourrir.

11 Les suffixes

Je me rappelle

● Je reconstitue les deux familles de mots. J'écris les mots de base.

terrasse – terrier – collant – collage – atterrir – décoller – parterre – souterrain – autocollant

J'observe, je réfléchis, je comprends

1 Comment s'appellent ces magasins ?

– Le commerçant est un boucher, c'est une ...
– Le commerçant est un pâtissier, c'est une ...
– Le commerçant est un boulanger, c'est une ...
– Le commerçant est un libraire, c'est une ...
– On y vend des sandwichs, c'est une ...
– On y vend du poisson, c'est une ...
– On y vend des fromages, c'est une ...

Comment sont formés ces noms de magasins ?

2 De quel instrument jouent les musiciens ?

– Le violoniste joue ...   – La pianiste joue ...
– L'accordéoniste joue ...   – La flutiste joue ...
– Le trompettiste joue ...   – Le guitariste joue ...

Comment sont formés les noms de ces musiciens ?

la percussionniste

3 Quels sont ces métiers ?

– Elle écrit dans un journal, c'est ...
– Il vend des fleurs, c'est ...
– Elle soigne les dents, c'est ...
– Il tient un garage, c'est ...
– Il saute en parachute, c'est ...
– Elle étudie la biologie, c'est ...

Comment sont formés ces noms de métiers ?

4 Comment ces animaux crient-ils ?

– Le miaulement, c'est le cri du chat qui ...
– L'aboiement, c'est le cri du chien qui ...
– Le hurlement, c'est le cri du loup qui ...
– Le rugissement, c'est le cri du lion qui ...
– Le bêlement, c'est le cri du mouton qui ...

Comment sont formés les noms des cris des animaux ?

● **Pour former une famille de mots, on peut ajouter un suffixe après le radical :**
fleuriste – pâtissier – hurlement.

Je reconnais les suffixes

1. Je sépare le radical et le suffixe par un trait :

1. la beauté – la bonté – l'habileté
la propreté – la saleté
2. un ânon – un chaton – un girafon
un ourson – un raton
3. la circulation – la consolation
une exclamation – une interrogation

2. Je sépare le radical et le suffixe par un trait. J'écris le verbe de la famille.

1. l'arrosage – le bavardage – le collage
le lavage – le pliage
2. le commencement – le déménagement
le rangement – le remerciement
le remplacement
3. un cultivateur – un explorateur
un installateur – un observateur
un organisateur

3. J'entoure le suffixe et je complète la phrase.

1. Dans le saladier, on met la ...
2. Dans le sucrier, on met ...
3. Dans le beurrier, on met ...
4. Dans la théière, on met ...
5. Dans la cafetière, on met ...

4. Je complète les phrases.

1. Une maisonnette est une petite ...
2. Une savonnette est ...
3. Une fillette est ...
4. Une clochette est ...

Je forme des mots avec des suffixes

5. J'écris les noms des arbres.
Ils sont tous formés de la même façon.

1. Les pommes poussent sur le ...
2. Les bananes poussent sur le ...
3. Les olives poussent sur l'...
4. Les amandes poussent sur l'...
5. Les figues poussent sur le ...

6. J'écris les noms de métiers, au masculin et au féminin. J'entoure les suffixes.

1. Le ..., la ... font des gâteaux.
2. Le ..., la ... vendent du poisson.
3. Au restaurant, le ... ou la ... préparent les plats.
4. Devant l'école, le ... ou la ... protègent la sortie des élèves.

Quelle est la forme du suffixe -*ier* au féminin ?

7. J'écris les noms de métiers au masculin et au féminin. J'entoure les suffixes.

1. L'école est dirigée par un ... ou une ....
2. Quelquefois un ... ou une ... viennent dans la classe pour inspecter le travail des élèves.
3. À la fin de la pièce, les ... et les ... applaudissent.

Quelle est la forme du suffixe -*teur* au féminin ?

8. J'écris les noms formés sur les adjectifs.

grand ↪ la ... – profond ↪ la ...
haut ↪ la ... – large ↪ la ... – long ↪ la ...

9. J'écris les adjectifs formés sur les noms.

la peur ↪ peureux – le courage ↪ ...
le danger ↪ ... – le malheur ↪ ...
la paresse ↪ ... – la merveille ↪ ...

Une lettre de moins

g	l	a	c	i	e	r

la lumière de l'orage
un trou dans une dent
On la trouve dans la ruche.
Tu le pousses quand tu as peur.

11 g, ge, gu ?

La lettre **g** sert à écrire deux sons :
/g/ comme au début de **g**are et /ʒ/ comme au début de **g**irafe.

Le son /g/ s'écrit		Le son /ʒ/ s'écrit	
g devant **a, o, u**	**gu** devant **e, i, y**	**g** devant **e, i, y**	**ge** devant **a, o, u**
un **g**âteau	fati**gu**é	une ima**g**e	un pi**ge**on
gourmand	une **gu**irlande	ima**g**iner	na**ge**ant
dé**g**uster		un **g**yrophare	
les consonnes			
glisser – **g**randir			

Le son /ʒ/ peut aussi s'écrire avec la lettre **j** : je – joli – judo – jardin.

1. Je recopie les mots quand la lettre **g** écrit le son /g/.

1. galoper – la gymnastique – la nage une figure
2. l'énergie – une goutte – regarder gonfler
3. un gardien – un danger – la gloire les gradins – un geste
4. un plongeur – glissant – un groupe courageux – grimper

2. Je classe les mots dans le tableau.

Attention, certains mots vont dans deux colonnes ! Tu peux classer tous les mots, même si tu ne les connais pas.

g écrit le son /g/	**gu** écrit le son /g/	**g** écrit le son /ʒ/
…	…	…

1. un cargo – une frégate – la plage
2. une pirogue – des algues – la lagune le naufrage
3. les légumes – une aubergine la guimauve – une mangue
4. la glycine – l'argan – le muguet un géranium – la digitale
5. la géographie – un zigzag – un bagage une grange

3. Tous ces noms d'animaux contiennent le son /g/.
Je complète avec **g** ou **gu**.

le kan…ourou – le …épard – le …orille
un ai…le – une …êpe – une ci…ale
un pin…ouin – une ci…ogne
un san…lier – une …enon

4. Je complète les familles de mots.

1. naviguer ↪ un navi…ateur
2. cataloguer ↪ un catalo…e
3. conjuguer ↪ la conju…aison
4. dialoguer ↪ un dialo…e
5. baguer ↪ une ba…e
6. fatiguer ↪ la fati…e

Dans une famille de mots, le son /ʒ/ s'écrit toujours de la même façon.

5. Je complète les familles de mots.

1. jardin ↪ un …ardinier
2. fromage ↪ un froma…er – la froma…erie
3. horloge ↪ un horlo…er – l'horlo…erie
4. danger ↪ dan…ereux
5. garage ↪ un gara…iste
6. jeu ↪ …ouer – un …ouet – un …oueur
7. gel ↪ …eler – la …elée

ail ou aille ? eil ou eille ? euil ou euille ?

J'observe, je réfléchis, je comprends

1 Je classe les mots dans le tableau.

1. une bataille – un détail – je détaille
il détaille – une paille – le portail – un rail
la taille – je taille – il taille – je travaille – le travail

nom masculin	nom féminin	verbe
...	...	...

2. un appareil – une bouteille – un conseil – je conseille – tu conseilles – une corbeille
l'oreille – le réveil – tu réveilles – elle réveille – le sommeil – il sommeille – je sommeille

3. un écureuil – un fauteuil – une feuille

2 J'observe le tableau et je réponds à la question du titre :
– Comment se terminent les noms masculins ?
– Comment se terminent les noms féminins ?
– Comment se terminent les verbes conjugués ?

> **Je me demande :** est-ce que c'est un verbe ou un nom ?
>
> **- Si c'est un nom, je me demande :**
> Est-ce qu'il est masculin ? J'écris **ail**, **eil** ou **euil**.
> Est-ce qu'il est féminin ? J'écris **aille**, **eille** ou **euille**.
>
> **- Si c'est un verbe**, j'écris **aille** ou **eille**.
> Les verbes qui se terminent par **euille** sont très rares.

1. J'écris *un* ou *une* devant le nom.

... abeille – ... ail – ... écaille
... épouvantail – ... médaille – ... orteil

2. J'écris *le* ou *la* devant le nom.

... muraille – ... paille – ... soleil
... vieille – ... vitrail

3. Je conjugue au présent.

travailler : je ... tu ... – bâiller : je ... elle ...
tailler : tu ... il ... – conseiller : tu ... il ...
surveiller : je ... tu ... il ... elle ...

4. J'écris les noms qui sont dans la famille des verbes.

écailler ↦ une ... – batailler ↦ une ...
émerveiller ↦ une ... – détailler ↦ un ...

5. Je complète les mots.

1. Le fermier a placé un épouvant...
au milieu de son champ.

2. Un bon cons... : ne restez pas au sol... sans
vous protéger. Mettez un chapeau de p....

3. Le chat somm... dans sa corb... Une ab...
s'approche de ses or.... Le chat se rév....

4. La v... des vacances, maman a fait
de la confiture de gros....

5. Ce vitr... est une merv.... Il a demandé
beaucoup de trav....

6. Ce petit appar... qui surv... le somm... de
bébé, c'est une belle trouv... !

7. C'est la pag... dans le placard. Je ne trouve
plus la bout... d'huile !

• D e v i n e t t e s •

Toutes les solutions sont dans la page.

1. *Je suis sur les branches ou dans ton cahier.*

2. *J'ai deux bras, quatre pieds, mais je ne marche pas.*

3. *Je suis dans les champs, dans l'écurie ou dans ton verre.*

11 J'écris une lettre

Un site internet met en relation des écoles partout dans le monde. Silvio, qui habite au Cap-Vert, écrit une lettre à Ricardo, qui habite à San Pedro, au Guatemala.

Mindelo, le 17 mai

Bonjour Ricardo

Je m'appelle Silvio. J'habite dans une ville, sur une des iles du Cap-Vert. Mon papa s'appelle Telmo. Il est pêcheur. Il part en mer tous les matins et l'après-midi, il vend sa pêche au marché aux poissons.
Maman Irina brode des nappes, des sacs et des dessus-de-lit. Le soir, elle va sur la place principale pour les vendre aux touristes qui visitent notre belle ile. Je vais à l'école, mais seulement le matin. L'après-midi, je travaille chez un garagiste pour gagner un peu d'argent et aider ma famille.
Mon petit frère, Marco, et ma petite sœur, Paloma, vont aussi à l'école. Je t'envoie une photo de ma ville.
J'espère que tu me répondras vite et que tu voudras bien être mon ami. Je te dis à bientôt.

Silvio

1 Qui a écrit cette lettre ? *(expéditeur)* _____
À qui est-elle adressée ? *(destinataire)*
Pourquoi Silvio écrit-il cette lettre ?

2 Recopie le schéma de cette lettre sur ton brouillon. _____
Remplis les cases avec les mots suivants :

1. Lieu d'où on écrit

2. Date

3. Formule pour saluer le destinataire

4. Texte

5. Formule d'au revoir

6. Signature

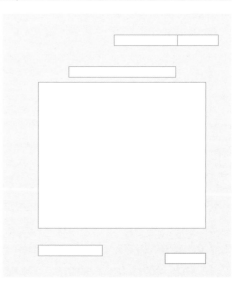

3 Tu es Ricardo. Tu réponds à Silvio. _____
Retrouve les informations dont tu as besoin p. 168.
Tu peux aussi ajouter d'autres idées.

4 Tu es en vacances. Tu écris à un ami pour lui raconter ce que tu fais. _____

Faire

• Voici toutes les étapes de fabrication de cette belle pochette en papier. Explique ce qu'il faut faire pour la réaliser.

– Tu peux utiliser les verbes à l'infinitif après :
il faut…, on doit…, je vais….

– Tu peux t'adresser à quelqu'un :
tu prends…, tu plies… ;
ou prends…, plie….

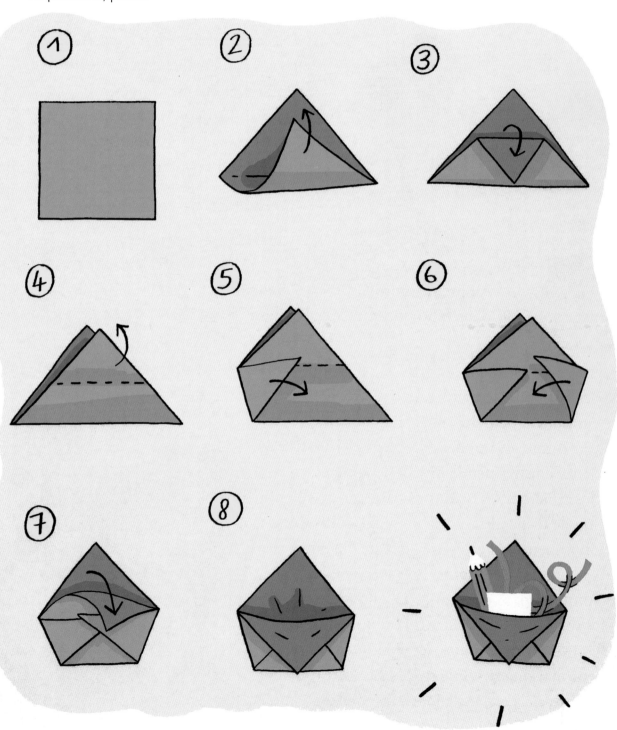

Le tour du Monde avec le soleil (4)

Au même moment, il est 8 heures sur l'ile de Tahiti, en Polynésie française

Teora, dès le matin, étale ses fleurs de tiaré. Le tiaré est la fleur de Tahiti. Avec elle, on produit depuis longtemps une huile de soins pour les cheveux, le monoï. Mais Teora, avec ses amies, poursuit une autre tradition : le tressage des fleurs.

Avec le tiaré mélangé à d'autres fleurs de toutes les couleurs, elle va confectionner des colliers et des couronnes.
Elle les vendra dans la journée aux touristes ainsi qu'à tous ceux qui souhaitent respirer du bonheur !

Au même moment, il est 7 heures dans la République des Kiribati

Anote est pêcheur de perles. Il vit dans l'une des trente-trois iles de la République des Kiribati. Ce matin, avant de plonger, comme tous les jours, pour chercher des huitres perlières, il regarde la mer.
Car Anote est inquiet : les iles de Kiribati dépassent très peu le niveau de la mer.
Si les mers et les océans continuent de s'élever, son ile disparaitra. Déjà les terres cultivables diminuent, et l'eau salée envahit même par moments les sources d'eau potable.
Anote dispose des sacs de sable pour protéger sa maison. Pour l'instant, l'eau qui vient battre contre le muret amuse les enfants. Mais si leur maison est submergée et détruite, comme cela est déjà arrivé, la joie laissera place à la tristesse.

Au même moment, il est 6 heures à Hobbiton, en Nouvelle-Zélande

Tolkien, l'auteur du livre *Le Seigneur des Anneaux*, était anglais. Ses héros, les Hobbits, vivent dans un village situé dans une région imaginaire, la Terre du Milieu. Pour raconter cette histoire au cinéma, le réalisateur Peter Jackson a construit dans son pays, la Nouvelle-Zélande, un vrai village : Hobbiton. Tous ceux, petits et grands, qui aiment cette histoire, peuvent venir s'y promener et retrouver les lieux imaginés par Tolkien. On raconte que, la nuit, les Hobbits mènent leur vie dans ce village. Et quand sonnent 6 heures, ils disparaissent, pour laisser la place aux Hommes, aux touristes.

Au même moment, il est 5 heures à Nouméa, en Nouvelle-Calédonie, en France

Le marché de Port Moselle ouvre ses portes aux clients.
Pierre et Maëva sont maraichers. Ils se sont levés très tôt pour apporter leur production de fruits et de légumes. À 5 heures, leur étalage est déjà prêt.
Les clients vont pouvoir acheter de la salade, des tomates, des concombres verts mais aussi des concombres blancs, des ignames, des taros, des patates douces.
N'oublions pas les pommes-lianes, un merveilleux fruit de la passion.
Le marché est en ville, juste au bord de l'eau, dans le port. Ainsi, la pêche passe directement de la mer à l'étalage du poissonnier. Avec le lait de coco frais et les feuilles de bananier, rien ne manquera pour préparer un délicieux bougna au poisson.

12 Révisions

Je me rappelle

• Je retrouve le sujet du verbe dans ces phrases.

À 6 heures du matin, les Hobbits rentrent chez eux.

Les visiteurs du village de Hobbiton espèrent rencontrer les Hobbits.

J'observe, je réfléchis, je mobilise mes connaissances

1 Je classe tous les mots de ces deux phrases dans le tableau.

Les grands pommiers de notre jardin sont très généreux !
Nous donnons souvent des pommes à nos voisins.

déterminant	nom	pronom	adjectif qualificatif	verbe	adverbe	préposition
...	...	...	...	...	...	...

2 Je recopie les adjectifs qualificatifs avec le nom qu'ils précisent.
Je n'oublie pas de recopier aussi le déterminant.

– Au marché de Port Moselle à Nouméa, les heureux clients vont trouver des salades fraiches, des tomates rouges, des concombres verts mais aussi des concombres blancs et des patates douces.

– La fleur blanche de Tahiti s'appelle le tiaré. Tresser des beaux colliers avec les tiarés est une activité traditionnelle de l'ile.

3 Dans chaque phrase, je dis ce que je sais du nom *ile*.
Est-il sujet du verbe, complément du verbe, complément du nom ?

Une ile est un morceau de terre entouré par la mer. Souvent, je rêve d'une ile.
Je vois une petite ile. Je fais le tour de mon ile en quelques pas. Mais les grandes iles sont nombreuses : l'Angleterre, l'Australie, Madagascar !

4 J'écris trois phrases avec le nom *poissonnier* : une fois sujet du verbe, une fois complément du nom, une fois complément du verbe.

À la fin de cette année :

• **Je connais** plusieurs natures de mots :
le déterminant, le nom, l'adjectif qualificatif,
le pronom de conjugaison, le verbe, l'adverbe, la préposition.

• **Je connais** plusieurs fonctions des mots. **Je sais que :**
– le nom peut être sujet du verbe, ou complément du verbe, ou complément du nom ;
– l'adjectif précise le nom ;
– l'adverbe précise un verbe ou un adjectif.

À suivre… au CM1

Je reconnais la nature et la fonction des mots

1. J'écris la nature des mots en bleu.

1. Sur les côtes, les phares avertissent les bateaux de la présence de rochers.
2. L'eau salée menace l'eau potable dans certaines iles.
3. Les plages de sable fin attirent les vacanciers.
4. Cinq enfants font des châteaux de sable au bord de l'eau.
5. Les vagues arrivent doucement jusqu'aux pieds des parasols.

2. Quelle est la fonction des groupes nominaux en vert : sujet du verbe ? complément du nom ? complément du verbe ?

1. Les commerçants discutent avec leurs clients.
2. J'aime manger les fruits frais.
3. Les clients du marché prennent leur temps.
4. Les bruits envahissent la place.
5. Le marchand de légumes de notre rue vend aussi des fruits secs.

3. Je recopie la phrase : je supprime les compléments du nom.

1. La maison de ma poupée contient des petits meubles en plastique.
2. Les jouets en bois sont souvent des jouets pour les petits.

3. On a construit un village de Hobbits pour filmer l'histoire de Tolkien.
4. *Le Seigneur des Anneaux* est le titre d'un roman.
5. Les personnages principaux de Tolkien habitent la Terre du Milieu.

J'utilise les compléments du nom et les adjectifs qualificatifs pour enrichir les phrases

4. J'étends le sujet du verbe avec un complément du nom.

1. Ces colliers sentent bon.
2. Les pommes sont bien rouges.
3. Dans la vitrine, les gâteaux sont appétissants
4. Aujourd'hui, les animaux sont très inquiets.
5. Les arbres ont résisté à l'orage.

5. J'apporte des précisions aux noms avec un complément du nom ou un adjectif, ou les deux.

1. Pour la fête, on a tous mis un collier.
2. Le pêcheur regarde les vagues.
3. Le marchand prépare un étalage.
4. Un groupe de baleines longe les côtes.

Pour aller plus loin

Mon stylo

Si mon stylo était magique,
Avec des mots en herbe,
J'écrirais des poèmes superbes,
Avec des mots en cage,
J'écrirais des poèmes sauvages.

Si mon stylo était artiste,
Avec les mots les plus bêtes,
J'écrirais des poèmes en fête,
Avec des mots de tous les jours,
J'écrirais des poèmes d'amour.

Mais mon stylo est un farceur
Qui n'en fait qu'à sa tête,
Et mes poèmes, sur mon cœur,
Font des pirouettes.

« Mon stylo », Claude Held, Robert Gélis,
Jacqueline Held, *Poèmes à tu et à toi*,
© Éditions Magnard, 1994.

Je surligne en bleu les adjectifs, en rouge les compléments du nom, et je fais apparaitre la construction du poème.

12

Au même moment, il est 4 heures à Cairns, en Australie

Comme chaque matin, Emily se lève sans bruit. Elle fait sa toilette et descend préparer un copieux petit déjeuner. Emily loue deux chambres de sa maison à des touristes qui vont plonger dans la Grande Barrière de corail.
Elle les réveillera dans une heure. Ils sont revenus si fatigués hier soir ! Mais ils avaient les yeux pleins de coraux multicolores, de poissons-papillons, de poissons-clowns, de tortues vertes et de bénitiers géants. Ils prendront à nouveau le petit bateau ce matin, à 6 heures.
Il leur faudra environ deux heures pour atteindre le grand récif multicolore. À 8 heures, ils nageront au milieu des poissons. Mais avant : céréales, viande, œufs, tomates, pommes de terre, miel, confiture, pain et brioche, thé, café, lait, jus de fruits.
Tout ce qu'il faut pour être en forme !

Au même moment, il est 3 heures à Tokyo, au Japon

Naoki n'arrive pas à dormir. Hier soir, il a passé beaucoup de temps avec ses clients et il a raté le dernier train pour rentrer chez lui. Il est maintenant dans un hôtel-capsule, un ensemble de cabines étroites superposées et alignées le long d'un couloir. À son arrivée, il a mis ses chaussures dans un casier et enfilé un kimono et des chaussons. Il a pris un bain, puis il s'est allongé dans sa « capsule ». Il a fermé le volet, il a regardé un peu la télévision au plafond et réglé son réveil-matin pour 6 heures. Il ne lui reste que quelques heures pour se reposer.

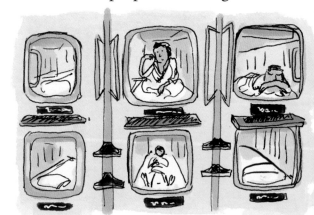

**Au même moment, il est 2 heures
à Pékin, en Chine**

Huan sort de la chambre d'un malade. Elle se déplace en silence dans les couloirs vides de l'hôpital. Huan est infirmière de nuit. Elle a appris peu à peu à marcher avec ses chaussures légères et silencieuses, à parler à voix très basse, à chuchoter pour réconforter quelqu'un qui souffre, à répondre immédiatement à un appel pour ne pas troubler le sommeil de tous, pour ne pas inquiéter ceux qui se reposent dans les chambres voisines. Et quand, au milieu de la nuit, son unité de soin est très silencieuse, elle passe de chambre en chambre, pour vérifier que tout va bien, que personne n'a besoin d'aide, de secours ou d'écoute.

**Au même moment, il est 1 heure
à Hué, au Vietnam**

Lam, l'aîné des enfants, et sa sœur Hoa sont morts de fatigue. Dans la grande cour, au milieu des maisons, la fête des enfants vient de se terminer. Pendant plusieurs jours, toute la famille a préparé des gâteaux et des jouets. Hoa a sculpté des animaux dans des kakis, des pamplemousses et des bananes. Lam et son papa ont fabriqué des lanternes en forme d'étoile et des masques d'animaux. Ce soir, dans les cours et dans les rues, tous les enfants, déguisés et masqués, ont fait de grandes farandoles aux lanternes. Ils ont chanté et dansé au son des tambours et lancé dans le ciel des lampions en papier de soie enflammés.

12 Le futur des verbes
faire, dire, pouvoir, vouloir, prendre

● Je conjugue les verbes au futur. J'entoure les terminaisons du futur.

Chloé est élève infirmière. À l'hôpital, les malades parlent avec elle. Elle sait les réconforter. Elle les soigne. En période de garde, la nuit, elle répond aux appels.

J'observe, je réfléchis, je comprends

– Veux-tu vraiment devenir infirmière ? Est-ce que tu pourras travailler la nuit ? Les malades voudront t'appeler, ils pourront avoir besoin de soins, c'est un métier difficile !
– Je sais que je pourrai. Ma copine aussi veut faire ce métier, nous ferons nos études ensemble.

– Vous direz ce que vous voudrez faire demain mercredi, je m'organiserai.
– On y a pensé ! Nous prendrons nos sacs à dos pour une balade en forêt.
– Je dirai à votre oncle de nous accompagner. Il voudra surement !
Ah, vous prendrez aussi vos cirés, il fera peut-être mauvais temps.

– Vous pourrez m'apprendre à pêcher, s'il vous plait ?
– Mais tu feras comment pour rester calme ? Tu ne prendras aucun poisson si tu remues tout le temps.
– Je ferai des efforts.
– Alors entendu, nous pourrons commencer dès demain.

1 Les verbes sont en couleur. Je cherche leur infinitif.
Je recopie les formes conjuguées dans le tableau.

faire	dire	pouvoir	vouloir	prendre
je ferai	…	…	…	…

2 Quand je parle, je sais dire ces verbes au futur. Je complète le tableau de conjugaison.

3 Je me rappelle les règles de conjugaison. Qu'est-ce qui est pareil ? Qu'est-ce qui change ?

Quand je conjugue les verbes *faire, dire, pouvoir, vouloir, prendre* au futur :
● **les terminaisons sont les mêmes que pour les autres verbes :**
je ferai – tu prendras – il voudra – nous pourrons – vous direz – ils pourront
● **pour les verbes *faire, vouloir, pouvoir*, c'est le début qui change.**
J'apprends ces conjugaisons par cœur.

Je reconnais les verbes conjugués au futur

1. Je recopie les verbes conjugués au futur. J'écris leur infinitif.

tu voudras – il fait – nous pourrons
vous disiez – tu feras – elles prendront
je prenais – je dirai – elle pourra
nous voulons – vous ferez – ils diront
elle prendra – vous voudrez – il disait

2. J'écris un pronom sujet qui convient.

1. ... prendrai – ... diras
2. ... pourra – ... ferez
3. ... dirons – ... voudrai
4. ... voudrez – ... prendras
5. ... feront – ... pourrons

Je conjugue au futur

3. Je conjugue au futur.

1. je *(pouvoir)* – nous *(prendre)*
2. tu *(dire)* – nous *(vouloir)* – il *(faire)*
3. vous *(dire)* – vous *(faire)*
4. il *(prendre)* – elles *(dire)* – tu *(faire)*
5. je *(prendre)* – elle *(pouvoir)*

4. Je conjugue au futur.

1. En 2061, nous *(pouvoir)* revoir dans le ciel la comète de Halley.
2. Plus tard, je *(faire)* des études pour devenir astronaute.
3. Des fusées *(prendre)* bientôt des touristes pour des vols dans l'espace.
4. Les hommes *(vouloir)* explorer l'univers toujours plus loin !
5. Le robot spatial Philaé *(dire)* peut-être de quelle matière est composée la comète Tchouri.

5. *Faire, dire, prendre, pouvoir* ? Je choisis et je conjugue au futur.

1. Vous ... à vos amis de ne pas oublier leurs chaussures de marche, car nous ... de la randonnée en montagne.
2. Est-ce que vous ... porter un sac aussi lourd ?
3. Nous ... d'abord le téléphérique, puis nous ... le reste de l'ascension à pied.
4. Je vous ... ce soir ce que vous ... dans les sacs à dos pour le pique-nique.

6. Je recopie le texte. Je conjugue au futur les verbes en bleu.

Bientôt octobre arrive. Les marmottes vivent en montagne, où en hiver, il fait très froid. La neige tombe, elle reste longtemps sur le sol. Alors nos marmottes prennent dès octobre leur logement d'hiver. Elles dorment six mois ! Quand elles s'enferment dans leur terrier, elles sont bien grasses, et elles ont un bon lit d'herbes sèches. Serrées les unes contre les autres, elles peuvent se tenir chaud.

J'écris

Tu téléphones à un camarade ou à une camarade pour l'inviter samedi après-midi. Vous discutez de ce que vous ferez. Jouez la scène à deux puis écrivez votre dialogue.

12

Au même moment, il est 0 heures à Almaty, au Kazakhstan

Nurlan est le responsable du poste de commande du téléphérique d'Almaty. Il fait partir la dernière cabine vers le sommet de la Colline Verte, où se trouvent la tour de télévision, des restaurants et des attractions pour enfants et adultes. Il est minuit mais la cabine est pleine. Le jour, les habitants, autant que les touristes, aiment regarder de là-haut les montagnes environnantes, se promener et se détendre dans le parc qui surplombe la ville. La nuit, c'est Almaty illuminée qui les fascine. Mais pour Nurlan, le plus grand, le plus beau des spectacles, c'est celui que l'on a pendant la montée ou la descente, quand on admire le paysage en mouvement, à travers les vitres. Il est fier d'avoir la responsabilité de cette cabine.

Au même moment, il est 23 heures à Port-aux-Français, au milieu de l'océan austral

Plus de cent personnes vivent dans cette base scientifique de l'archipel des iles Kerguelen : des biologistes, des météorologues, des savants qui suivent le trajet des satellites ou qui étudient le réchauffement du climat. Mathieu, lui, est garagiste. Dans son immense hangar, il s'occupe de l'entretien des voitures, des tracteurs, des grues, des bétonnières, des marteaux-piqueurs et de tout l'outillage de la station. Ce soir, il est encore au travail. Il doit vérifier deux voitures qui partiront demain très tôt avec une équipe de biologistes pour observer un troupeau d'éléphants de mer. Il ne faut pas prendre de risque. Tout doit être en bon état. Personne ne doit tomber en panne dans cette ile déserte et glacée.

Au même moment, il est 22 heures à La Réunion, en France

Cela fait maintenant 1 heure 30 que Jean-René court dans les montagnes de la Réunion. Il s'est préparé toute l'année pour cette course qui porte bien son nom, *La Diagonale des Fous* !

165 kilomètres environ pour traverser l'île de la Réunion d'un bout à l'autre. On ne passe que par les sentiers de montagnes, certaines années par les pentes du volcan. Il n'y a pas d'étapes, il faut courir pendant plus de 24 heures. On court la nuit et le jour. On ne s'arrête que pour manger un peu et boire. Il y a beaucoup de fous : plus de 2 500 concurrents !

Concurrents ou participants ? Jean-René, comme beaucoup d'autres, est d'abord heureux de partager une belle aventure : lorsqu'il voit quelqu'un en difficulté, il s'arrête pour l'aider. Et il ne refuse pas de rire avec ses amis de rencontre.

Au même moment, il est 21 heures à Addis-Abeba, en Éthiopie

Rediet quitte le cours du soir à l'université. Elle étudie pour devenir enseignante après sa journée de travail dans une grande usine moderne qui fabrique des chaussures. Mais sa grande passion, c'est le sport national, la course à pied, et surtout le marathon, 42,195 kilomètres ! Elle fait des efforts pour s'entrainer tous les matins, avec des amies.

À son travail, quand elle coud le cuir pour fabriquer les belles chaussures qui seront vendues à l'étranger, elle sourit parfois.

Elle se rappelle comment le monde entier a découvert son pays, l'Éthiopie, en 1960. Cette année-là, un Éthiopien, inconnu de tous, Abebe Bikila, a remporté le marathon aux Jeux Olympiques de Rome : il courait pieds nus ! Aux Jeux Olympiques suivants, à Tokyo, il remportait à nouveau le marathon, mais cette fois-ci, il était chaussé !

12 Les préfixes

Je me rappelle

● Dans ces familles de mots, j'encadre le radical. Je souligne les suffixes.

1. participer – participant – participation

2. admirer – admirable – admiration – admirateur – admiratif

J'observe, je réfléchis, je comprends

1 Je compare les définitions.

impur, ure (adjectif)
Qui n'est pas pur. *L'air de cette zone industrielle est **impur**.*

irremplaçable (adjectif)
Qu'on ne peut pas remplacer. *C'est une secrétaire parfaite, elle est vraiment **irremplaçable**.*

inattentif, ive (adjectif)
Qui n'est pas attentif. *Les élèves sont **inattentifs** aujourd'hui.* (Syn. distrait.)

inadmissible (adjectif)
Qui n'est pas admissible. *Vos retards répétés sont vraiment **inadmissibles**.* (Syn. inacceptable.)

impoli, ie (adjectif et nom)
Qui n'est pas poli. *Il serait très **impoli** de partir sans le saluer.* (Syn. grossier, incorrect. Contr. courtois, poli.)

illisible (adjectif)
1. Qu'on ne peut pas lire. *Cette ordonnance est vraiment **illisible**.* (Syn. indéchiffrable. Contr. lisible.)

Dictionnaire Hachette Junior, © Hachette Livre, 2014.

a. Quel est le point commun entre ces définitions ?

b. Comment sont formés ces adjectifs ?

c. Je donne oralement la définition des adjectifs synonymes :
incorrect – inacceptable – indéchiffrable.

2 Je complète : je dis et j'écris un adjectif.

1. Tu n'es pas patiente. Tu es ...

2. Je n'ai pas pris pas mon pull. Il n'était pas utile aujourd'hui. Il était ...

3. Cette écriture n'est pas régulière. Elle est ...

4. Quand l'air est très pollué, il n'est pas respirable. Il est ...

5. La voiture accidentée ne peut pas être réparée. Elle est ...

6. Ma collection n'est pas complète. Il me manque trois images. Elle est ...

7. Louis a été puni alors qu'il n'a rien fait. Ce n'est pas juste. C'est ...

Comment sont formés les adjectifs que tu as trouvés ?

3 Quels sont ces objets ?

1. Il protège de la pluie, c'est ...

2. Il protège du soleil, c'est ...

3. Il empêche une chute trop rapide, c'est ...

Comment sont formés ces trois noms ?

● Je sais déjà que, pour former une famille de mots, on peut ajouter un suffixe après le radical.

● On peut aussi ajouter un préfixe **devant le radical.**

im|poli| – in|juste| – ir|régulier| – il|lisible|

● **Les préfixes ont toujours un sens.**
Beaucoup de mots de sens contraire sont formés avec des préfixes.

Je reconnais les préfixes

1. Je sépare le radical et le préfixe par un trait :

1. impossible – irresponsable – illimité insupportable – incapable
2. débrancher – décharger – dénouer déboutonner – dégonfler
3. relire – recommencer – refaire repeindre – revenir

2. Je supprime le préfixe. Je recopie le mot.

1. déshabiller – désobéir – désagréable désespoir – désordre
2. transplanter – transporter – transmettre

3. J'entoure le préfixe et je complète la phrase.

1. Un triangle est une figure géométrique qui a trois ...
   Un trident est une fourche à trois ...

   Je complète.
   Le préfixe ... signifie ...

2. Le copilote est aux commandes de l'avion avec le ...
   Mon coéquipier est avec moi dans la même ...

   Je complète.
   Le préfixe ... signifie ...

Je forme des mots avec des préfixes

4. Je complète les phrases. Tous les mots sont formés avec le même préfixe.

1. La voiture est trop chargée. Elle est ...
2. Aujourd'hui, la classe est trop chauffée. Elle est ...
3. Tous les enfants sont très excités. Ils sont ...

5. Je complète les phrases. Tous les mots sont formés avec le même préfixe.

1. Victor n'est pas très adroit quand il bricole. On peut même dire qu'il est ... !
2. Ce petit chien ne semble pas heureux chez ses maitres. Il a un air ....
3. Beaucoup d'enfants ne sont pas polis. Ils ne disent jamais merci. Ce sont des petits ... !

*6. *Tous les mots qui correspondent à ces définitions appartiennent à la même famille.*
Je les écris. J'encadre le radical, je souligne les préfixes.

1. espace entre deux lignes
2. tracer une ligne sous un mot
3. tracer une ligne de couleur sur un mot ou sur un passage d'un texte
4. ranger sur une ligne

*7. *Tous les verbes qui correspondent à ces définitions appartiennent à la même famille.*
Je les place dans la phrase. J'encadre le radical, je souligne les préfixes.

1. Porter quelque chose à quelqu'un. *Le serveur ... des boissons fraiches.*
2. Prendre quelque chose avec soi. *N'oublie pas d'... ton sac à dos !*
3. Porter d'un lieu à l'autre. *Tous les jours, des camions réfrigérés ... du poisson du bord de la mer vers les villes.*
4. Porter des marchandises dans des pays étrangers pour les vendre. *Les pays de la Méditerranée ... beaucoup de fruits et de légumes.*

Jeu

Tous ces verbes se terminent par er,
mais ils ont un autre point commun, beaucoup plus drôle.

abaisser – acheter – agiter – casser – effacer – occuper – céder

Indice : Lis à haute voix et récite ton alphabet.

12 Les chaines d'accord que je connais

J'observe les chaines d'accord. Je reconnais l'accord. J'écris la règle. Je fais les exercices.

❶ un archipel◯ – des ile(s) **Règle : J'accorde …**

1. Je recopie : j'écris un déterminant qui convient.

… volcan – … pentes – … sentier – … fous – … montagne – … amis

2. Je recopie : je contrôle l'accord.

un jouet⟨?⟩ – mes bille⟨?⟩ – des cadeau⟨?⟩ – la surprise⟨?⟩ – les ruban⟨?⟩

3. J'écris au singulier.

des souris – les journaux – mes amies – deux noix – quatre personnes – des seaux

4. J'écris au pluriel.

le canal – le bois – le nez – une fraise – un bateau – le dessert – le prix

❷ un ilot◯ gelé◯ – une ile◯ gelée – des torrent(s) gelé(s) – des eau(x) gelé(es)

• Règle : J'accorde … puis j'accorde …

• Je recopie les phrases : j'accorde.

1. Il faut des chaussure⟨?⟩ adapté⟨?⟩ pour faire des course⟨?⟩ en montagne.
2. Deux oiseau⟨?⟩ jaune⟨?⟩ cherchent leur nourriture dans l'herbe vert⟨?⟩
   juste à côté des buisson⟨?⟩ épineux⟨?⟩.
3. Une infirmière souriant⟨?⟩ soigne les blessures de la petit⟨?⟩ fille⟨?⟩.

❸ La cabine◯ du téléphérique est prêt(e) pour le départ.

Les touriste(s) sont content(s) : les montagne(s) sont couvert(es) de neige.

• Règle : J'accorde … puis j'accorde …

1. Je recopie les phrases : j'accorde.

La nuit, la ville est illuminé⟨?⟩. Les théâtre⟨?⟩ sont ouvert⟨?⟩.
Pendant l'entracte, les discussion⟨?⟩ sont animé⟨?⟩ entre les spectateurs :
« J'ai trouvé que la comédienne⟨?⟩ était mauvais⟨?⟩. Ses geste⟨?⟩ étaient maladroit⟨?⟩.
— Mais non. Tous les comédien⟨?⟩ étaient excellent⟨?⟩ ! »

2. Je recopie les phrases : je fais tous les accords.

Les personnage⟨?⟩ des conte⟨?⟩ étaient célèbre⟨?⟩ bien avant le cinéma⟨?⟩.
et les dessin⟨?⟩ animé⟨?⟩. C'est plus tard que leurs aventure⟨?⟩ extraordinaire⟨?⟩
sont devenues des film⟨?⟩ qui ont eu un grand⟨?⟩ succès⟨?⟩.

4 Les athlète(s) gagn(ent) la course. Le public() applaudi(t) ses championnes.

• **Règle** : J'accorde ... puis j'accorde ...

1. Je recopie les phrases : j'accorde. Les verbes sont conjugués au présent.
À Port-aux-Français, des savant() travaill() toute l'année.
Le garagiste() assur() l'entretien de tous les véhicules.
Ainsi, même en cas de grand froid, les moteur() démarr() sans problème.

2. Je recopie les phrases : j'accorde. Les verbes sont conjugués au futur.
Demain, comme tous les matins, les pêcheur() i() plonger pour chercher
des huitres perlières. La récolte() se() peut-être bonne. Pendant ce temps,
les enfant() joue() au bord de l'eau. Avec l'argent gagné, les homme() pour()
consolider les murs qui protègent les maisons de la mer.

3. Je recopie les phrases : j'accorde. Les verbes sont conjugués à l'imparfait.
Ce soir, les rue() ét() pleines de monde. Les enfant() fais() de grandes farandoles.
Les grand() dans() au son des tambours. Les parent() lanç() dans le ciel des lampions
en papier de soie enflammés.

5 Mon frère() participe à la Diagonale des Fous. Il() cour(t) depuis dix heures déjà.
La course amène les coureur(s) sur les pentes du volcan. Il(s) aim(ent) la difficulté !

• **Règle** : J'accorde ..., j'accorde ..., puis j'accorde ...

• **Je recopie les phrases : j'accorde. Les verbes sont conjugués au présent.**
Les coureur() déval() les pentes. Parfois, il() gliss() sur des pierres.
Mais les chute() se produis() rarement et elle() s() presque toujours sans gravité.
À chaque étape, le coureur() peu() se reposer. Il() change de vêtements.
Il() repren() des forces.

6 Les touriste(s) (ont) aimé les plats traditionnels.

• **Règle** : Avec l'auxiliaire *avoir*, j'accorde ... puis j'accorde ....

Les client(s) (sont) parti(s).

• **Règle** : Avec l'auxiliaire *être*, j'accorde ..., puis j'accorde..., enfin j'accorde ....

• **Je recopie les phrases : je conjugue au passé composé et j'accorde.**
Hier soir, les savant() *(revenir)* de mission dans le désert.
Le matériel() *(être)* déchargé. La camionnette() *(partir)* au garage ce matin.

12

Écrire

● Raconte cette bande dessinée image par image.
Nomme les personnages.
Où sont-ils ? Que font-ils ? Que pensent-ils ? Que se disent-ils ?

• **Choisis ce que tu vas écrire.**

1. Un petit livre

Sur chaque page de gauche, il y a une vignette de la BD.
– Écris l'histoire sur la page de droite.
– N'oublie pas de faire parler les personnages.

2. Une scène de théâtre

– Au début, le personnage se parle à lui-même.
– Puis il parle avec les autres.
– N'oublie pas d'écrire les didascalies : les indications de gestes, de voix...

TABLE DES ILLUSTRATIONS

RELECTURE : Ariane Molkou
ADAPTATION MAQUETTE : Sophie Duclos
ICONOGRAPHIE : Stéphanie Tritz / Hatier illustrations
PRINCIPE MAQUETTE : Stéphanie Hamel
MISE EN PAGE : Librairie Nationale, Abdelkrim Boutaïb

ILLUSTRATIONS : p. 11, 18-19, 46-47, 94, 108, 158, 175, 183 : Anne Hemstege
p. 30, 32, 50, 54, 117, 127, 138 : Laurent Audouin
p. 36, 40, 58, 83, 112, 121, 130, 146, 162-163, 170 : Patrick Mallet
p. 114-115, 118-119 : Loïc Méhée
p. 144, p. 148-149, p. 152-153 : Edwige de Lassus
p. 160-161, 164-165, 168-169, 176-177, 180-181, 184-185 : Élodie Balandras
Coccinelle : Ariane Pinel

Achevé d'imprimer en Italie par STIGE - Dépôt légal : 97297-3/07 - avril 2020

Tableaux de conjugaison

être / avoir

	présent	futur	imparfait	passé composé
être	je suis tu es il est, elle est nous sommes vous êtes ils sont, elles sont	je serai tu seras il sera, elle sera nous serons vous serez ils seront, elles seront	j'étais tu étais il était, elle était nous étions vous étiez ils étaient, elles étaient	j'ai été tu as été il a été, elle a été nous avons été vous avez été ils ont été, elles ont été
avoir	j'ai tu as il a, elle a nous avons vous avez ils ont, elles ont	j'aurai tu auras il aura, elle aura nous aurons vous aurez ils auront, elles auront	j'avais tu avais il avait, elle avait nous avions vous aviez ils avaient, elles avaient	j'ai eu tu as eu il a eu, elle a eu nous avons eu vous avez eu ils ont eu, elles ont eu

aller / venir

	présent	futur	imparfait	passé composé
aller	je vais tu vas il va, elle va nous allons vous allez ils vont, elles vont	j'irai tu iras il ira, elle ira nous irons vous irez ils iront, elles iront	j'allais tu allais il allait, elle allait nous allions vous alliez ils allaient, elles allaient	je suis allé tu es allé il est allé nous sommes allés vous êtes allés ils sont allés je suis allée tu es allée elle est allée nous sommes allées vous êtes allées elles sont allées
venir	je viens tu viens il vient, elle vient nous venons vous venez ils viennent, elles viennent	je viendrai tu viendras il viendra, elle viendra nous viendrons vous viendrez ils viendront, elles viendront	je venais tu venais il venait, elle venait nous venions vous veniez ils venaient, elles venaient	je suis venu tu es venu il est venu nous sommes venus vous êtes venus ils sont venus je suis venue tu es venue elle est venue nous sommes venues vous êtes venues elles sont venues

	présent	futur	imparfait	passé composé
marcher	je marche tu marches il, elle marche nous marchons vous marchez ils, elles marchent	je marcherai tu marcheras il, elle marchera nous marcherons vous marcherez ils, elles marcheront	je marchais tu marchais il, elle marchait nous marchions vous marchiez ils, elles marchaient	j'ai marché tu as marché il, elle a marché nous avons marché vous avez marché ils, elles ont marché
finir	je finis tu finis il, elle finit nous finissons vous finissez ils, elles finissent	je finirai tu finiras il, elle finira nous finirons vous finirez ils, elles finiront	je finissais tu finissais il, elle finissait nous finissions vous finissiez ils, elles finissaient	j'ai fini tu as fini il, elle a fini nous avons fini vous avez fini ils, elles ont fini
faire	je fais tu fais il, elle fait nous faisons vous faites ils, elles font	je ferai tu feras il, elle fera nous ferons vous ferez ils, elles feront	je faisais tu faisais il, elle faisait nous faisions vous faisiez ils, elles faisaient	j'ai fait tu as fait il, elle a fait nous avons fait vous avez fait ils, elles ont fait
dire	je dis tu dis il, elle dit nous disons vous dites ils, elles disent	je dirai tu diras il, elle dira nous dirons vous direz ils, elles diront	je disais tu disais il, elle disait nous disions vous disiez ils, elles disaient	j'ai dit tu as dit il, elle a dit nous avons dit vous avez dit ils, elles ont dit